HET DAGBOEK VAN DE BOERIN

Clemens Wisse

Het dagboek van de boerin

Uitgeverij Zomer & Keuning

ISBN 978 90 205 3374 3
ISBN e-book 978 90 205 3375 0
ISBN Grote Letter 978 90 205 3386 6
NUR 344

© 2014 Uitgeverij Zomer & Keuning, Utrecht

Omslagontwerp: Bas Mazur

HOOFDSTUK 1

Een lome warmte hangt over de streek rondom het riviertje de Zwicke. Het lijkt alsof al het leven in de natuur weer is ingedommeld, nadat het op deze vrijdagmorgen nog maar net is ontwaakt.

De koeien liggen in de schaduw van een geriefbosje traag te herkauwen en de altijd kakelende kippen woelen in het mulle zand en schudden hun veren op.

Wie ook de schaduw van de vruchtbomen in de boomgaard van Zwickezicht opzoekt, is Clazien, de boerin van de kapitale hoeve die een goed jaar geleden haar thuis werd na een huwelijk met Siem Rouveen. Siem is naar de vrijdagse markt in de stad. Om zijn hoogzwangere vrouw van dienst te zijn, heeft hij een bankje onder het dikke bladerdak van een appelboom geplaatst en haar geadviseerd daarop wat te gaan uitblazen. Zij volgt zijn advies op, maar houdt het op het bankje niet lang uit. Het is een wat potsierlijk gezicht als de jonge en tengere boerin haar bolle buik naar voren duwt. Zij heeft al dagen een schier ondraaglijke rugpijn en die wordt wat verzacht als ze haar lendenen licht masseert en haar buik doet bollen.

De dokter heeft al eens bedenkelijk gekeken. Boer Siem is een grote, sterke kerel, terwijl de boerin een klein, tenger vrouwtje is. Hij heeft zijn vrees niet uitgesproken, maar hij verwacht dat het een zware bevalling zal worden. Daarom ook heeft hij vroedvrouw Nel Salomons gevraagd hem tijdig te waarschuwen als de geboorte zich aandient.

De blik van dokter Vredevoort is Clazien niet ontgaan en ze maakt zich zorgen. Hoewel ze het heel goed met haar man kan vinden, is ze nooit echt verliefd geweest. Dat is in de besloten boerengemeenschap van het dorp aan de Zwicke niks bijzonders. De inhoud van de portemonnee is veel belangrijker. Bekend is in het kleine dorp dat Clazien nooit veel mannenvlees had. Dat was en is wel anders met Siem Rouveen, vandaar dat Clazien al na enkele maanden zwanger werd.

Ze gaat weer op het bankje zitten. Het is goed uit te houden met nog een licht briesje in de boomgaard onder het volle gebladerte van de bomen. Ze sluit even haar ogen en denkt aan alles wat zich in de laatste drie jaren heeft afgespeeld. Zelf dochter van een middelgrote boer had zij niet gedacht dat Siem Rouveen, toekomstige boer van het machtige Zwickezicht, naar haar gunst zou dingen. Voor de vader van Siem was de tengere Clazientje Adriaanse nog net acceptabel, hoewel hij rijkere boerendochters op zijn 'verlanglijstje' had staan.

Als Clazien haar ogen weer opent, kan zij een gevoel van trots niet onderdrukken. De begeerde vrijgezel Siem Rouveen koos voor haar. Hoewel de aanstaande geboorte haar wat angst inboezemt, is ze Siem na haar trouwen steeds meer gaan waarderen. Hij is zacht voor haar en nu zelfs bezorgd om haar. Het werk wordt gedaan door de vaste meid en de vrouw van een kleine tuinder uit het dorp. Ondanks haar rugpijn en bolle buik voelt ze zich bevoorrecht. Als ze om zich heen kijkt, ziet zij het glanzende vee en de goed onderhouden hoeve; de grootste uit de wijde omgeving. Vele bunders land zijn het onbezwaarde eigendom van haar man. Zover het oog reikt, strekken de weilanden zich uit.

Ze hoort dat de klok van de dorpskerk elf keren slaat en dus staat ze op om te kijken of er binnen een licht karweitje te doen is. Groente schoonmaken en aardappelen schillen kan zittend gebeuren en vergt niet veel inspanning.

'Was nog maar even in de schaduw van de boomgaard blijven zitten, Clazien. Wij redden ons hier wel.' Anna Bovenkamp, de vrouw van de kleine tuinder Henk Bovenkamp, kent Clazientje Adriaanse al vanaf de schoolbanken en ze heeft met het tengere vrouwtje te doen. Hoogzwanger en dat met deze hitte.

'Hier in het achterhuis valt de hitte wel mee,' vindt Clazien. Ze merkt dat de dikke muren van de eeuwenoude hoeve de ergste hitte buiten houden. Ja, oud is Zwickezicht zeker. Een gevelsteen aan de voorkant van de woning laat daar geen misverstand over bestaan. Ene Dammes Rouveen blijkt in het jaar 1703 de eerste steen te hebben gelegd. Hij was toen vijf jaar en de naam Rouveen is tot op de dag van vandaag aan de hoeve verbonden gebleven. Een degelijk oud en welvarend geslacht.

'Geef me de schuttel aardappelen maar, dan zal ik ze wel schillen,' biedt Clazien aan. 'Straks maak ik ook de groente wel schoon.'

'Dat is niet nodig, want dat heeft Jaan al gedaan,' zegt Anna. Jaan Tammer is de al wat oudere meid op de hoeve. Ze is nooit getrouwd en destijds door de moeder van Siem aangenomen. Iedereen op de hoeve is bezorgd om de fragiele Clazientje en hoewel zij op alledag loopt, durfde Siem wel naar de markt te gaan. Hij weet immers zijn lieve vrouwtje in goede handen. Wel heeft hij de instructie achtergelaten onmiddellijk de vroedvrouw te waarschuwen als dat nodig is. Hij weet dat die nauw contact zal houden met de dokter als de bevalling niet goed verloopt.

De bewoners van Zwickezicht verwachten de boer niet vóór twaalf uur terug, want behalve naar de veemarkt moet hij ook naar de kaasmarkt. Met knecht Jaap Groot heeft hij die morgen een boel goudgele kazen in de brik geladen. Siem weet dat de kazen van Zwickezicht gretig aftrek vinden.

'Alles was op de kaasmarkt in een poep en een zucht verkocht,' zegt hij als hij al om halftwaalf terug is op de hoeve.

'Bah, we gaan bijna eten en dan praat jij over poep,' zegt Anna Bovenkamp met een vies gezicht.

'Niks bah,' reageert Siem. 'De kaas van Clazien is als de kaas van mijn moeder.'

'Dat is niet mijn verdienste, maar die van je moeder,' vindt Clazien. 'Ik werk alleen maar volgens haar recept.'

'Kan wel zijn, maar nog steeds ligt de kaas van Zwickezicht goed in de markt.'

'Dat kun je wel zeggen,' meent Jaan. 'De oude boerin was er altijd trots op als haar man Thijs weer eens met een eerste of tweede prijs thuiskwam.'

'Daar heb jij allang je steentje aan bijgedragen, Jaan,' meent Clazien en Siem knikt. Hij vindt het goed dat zijn vrouw de al enigszins bejaarde meid een beetje in het zonnetje zet, want zij was al meid op de hoeve toen hij nog maar een kleine jongen was en hij bij haar troost vond als hij zich bezeerd had en zijn moeder het te druk had om zich om hem te bekommeren.

'Pfuh, wat is het warm, zeg!' Siem trekt zijn nieuwe kiel uit en gooit zijn zwarte petje op een stoel. Zweetdruppels parelen op zijn voorhoofd. 'Ik ben maar heel even op de veemarkt geweest, nadat ik de kazen had afgeleverd, want ik wilde gauw thuis zijn.'

'Voor mij had je je niet hoeven te haasten, hoor!' zegt Clazien. 'Met mij is er nog niets aan de hand; ik heb alleen pijn in mijn lendenen en ik haat die hitte.'

'Hoe heb jij de ochtend dan doorgebracht, Clazien?' wil Siem weten.

'Ik ben op het bankje gaan zitten dat jij voor mij onder de appelbomen in de boomgaard hebt klaargezet. Dat was een goed idee van jou, want het is daar heerlijk koel. De bladeren van de appelbomen houden de felle zon tegen en er staat ook een briesje.'

'Dan leg ik daar straks een paar jutezakken op en ga er mijn middagdutje doen; in de bedstee is het overdag niet om uit te houden.' Siem wil zelf ook wel even van zijn goede idee profiteren.

'Je bent zó vroeg dat we het eten nog niet klaar hebben, hoor Siem!'

'Maak je geen zorgen om mij, Jaan,' reageert Siem. 'Ik ga mijn provisorische slaapplaats alvast in orde maken, zodat ik na het eten meteen kan gaan maffen.'

Als Siem een tweetal jutezakken op de bank gelegd heeft en gaat liggen, voelt het nog wel erg hard aan. Hij besluit er nog maar een paardendeken opgevouwen onder te leggen. Alles bij elkaar zijn er tien minuten verstreken en dan kunnen ze aan tafel. Anna Bovenkamp heeft de hele morgen geholpen en schuift ook aan.

Op de grote tafel staan drie pannen. In de ene pan zitten de kruimige aardappelen, in de tweede de groente en in de grote, zwarte braadpan het zachte rundvlees. Allen hebben ze op hun bord een napje voor de jus. Groente scheppen ze op hun bord en aardappelen pikken ze uit de pan en dopen ze in de juskom. Vlees wordt traditiegetrouw door Siem uitgedeeld. Het is een vast ritueel. Dan wordt er gebeden en kunnen ze aanvallen. Tussen de happen door worden de laatste nieuwtjes uitgewisseld. Dat zijn er niet veel, want in het kleine boerendorp aan de Zwicke gebeurt doorgaans niet zo veel. De meeste berichten neemt Siem mee uit de stad, want op de markt komen de grote boeren elkaar tegen.

'Op de kaasmarkt gaan ze niet over één nacht ijs,' zegt Siem. 'Onze kaas wordt niet zo kritisch bekeken, want wij hebben een goede naam, maar ik zag dat er van een andere partij enkele kazen werden afgekeurd. Het waren "tikkers".'

'Wat zijn dat?' wil Anna weten.

Siem legt uit: 'Als de keurmeesters de kaas met hun knokkels of een hamertje bekloppen, horen zij of er lucht in de kaas zit.'

'Als je de kaas aansnijdt zitten er vaak gaatjes in en dat duidt op luchtinsluiting; is de kaas dan niet goed?' vraagt Anna zich verbaasd af.

'Kleine gaatjes in de kaas zijn niet erg, maar als er te veel luchtbellen ontstaan, dan wordt de kaas een "tikker" genoemd, en bij ons is dat, bij mijn weten, nooit voorgekomen.'

'Nee, daar waakte jouw moeder wel voor,' weet Jaan.

Het is eigenlijk wat te warm om veel te eten en dus kunnen ze nu al rekenen op 'kliek' de volgende dag. Bij boeren, hoe rijk ze ook zijn, wordt namelijk weinig goed voedsel weggegooid, behalve als het niet meer te eten is, want dat gaat naar de varkens. Die zijn niet kieskeurig en lusten de restjes maar al te graag.

'Ga nog wat rusten, Clazien,' raadt Siem zijn hoogzwangere vrouw na het eten aan.

'Ik ga wel even in de oude rookstoel zitten,' reageert Clazien. 'In die stoel kan ik lekker achteroverleunen en mijn buik zit me dan minder in de weg.'

'Doe dat maar, Clazien,' zeggen Jaan en Anna in koor. Zij hebben te doen met de boerin.

'Dan ga ik mijn slaapplekje op de bank in de boomgaard opzoeken,' zegt Siem. Zijn provisorische bedje is opgemaakt en hij ontdekt al meteen dat hij lekker ligt onder het dikke gebladerte van de vruchtbomen. Maar hij is vergeten zich te laten wekken als het middagdutje beëindigd moet worden. Hij is gewend in de donkere bedstee te slapen en dus legt hij een grote, rode zakdoek op zijn gezicht. In de zomer is het vroeg dag op de boerderij en dus valt hij snel in slaap.

Jaap Groot is al vele jaren vaste knecht op Zwickezicht. Hij woont met zijn vrouw Aagd in een daggeldershuisje op een steenworp afstand van de hoeve. Hij is jong getrouwd en zijn twee dochters zijn al het huis uit, zodat hij met Aagd het rijk alleen heeft. Ze redden het samen best, want naast het huisje ligt een grote moestuin en daarop verbouwt hij bijna alles wat ze in hun kleine gezinnetje nodig hebben. Melk heeft hij van zijn boer en bij de slacht schiet er voor hem en Aagd ook wel het een en ander over. Nee, Jaap heeft het met een baas als Siem Rouveen niet slecht getroffen.

Evenals Siem moet hij elke morgen vroeg uit de veren en dus koestert ook hij zijn middagdutje. Als hij door Aagd gewekt is, gaat hij naar de hoeve. Onderweg komt hij langs de boomgaard en hij ziet een onbekende op een bankje liggen.

'Is Siem nog niet op?' vraagt hij Anna, die in het achterhuis bezig is. 'Er ligt in de boomgaard de een of andere zwerver op een bankje te pitten.'

Anna weet dat het Siem is die daar zijn middagdutje doet, maar ze houdt zich van de domme. 'Wie kan dat dan zijn, Jaap?' vraagt ze.

Jaap schudt zijn hoofd. 'Geen idee!' zegt hij.

'Misschien wel een ontsnapte gevangenisboef,' veronderstelt ze. 'Als ik jou was zou ik maar eens poolshoogte gaan nemen.'

'Ik wacht maar even tot Siem wakker is,' kiest Jaap de veilige weg. Hij is niet voor held in de wieg gelegd.

'Dat kan nog wel even duren, Jaap. Siem voelde zich, toen hij van de markt terugkwam, niet erg lekker en zei een halfuurtje langer in de bedstee te willen blijven.'

'Wat moeten we dan met die vent, Anna?'

'We? Jij moet wat doen, Jaap. Schop die vent het erf af.'

'Nou ja, er is toch geen haast bij. Het is natuurlijk niet zeker dat het een ontsnapte boef is, en bovendien ligt hij mij niet in de weg. Als Siem straks wakker is, zien we wel wat er moet gebeuren.'

'Joh, bangerik! Wacht niet op Siem, maar schop die vent

het erf af. Of durf je soms niet?'

'Ik niet durven? Ze noemden mij vroeger "de schrik van Zwickedorp".'

'Dat was vroeger!' Anna krijgt er lol in de knecht op stang te jagen.

'Als je soms denkt dat ik bang ben, dan ken je me toch niet, Anna. Al liggen er tien boeven in de boomgaard, ik heb voor hetere vuren gestaan!' Jaap doet zich tegenover de tuindersvrouw flinker voor dan hij is.

'Nou, wat let je dan om die vent het erf af te schoppen,' houdt Anna aan.

Daar heeft Jaap geen verweer meer tegen en met lood in de schoenen nadert hij voorzichtig de bank waarop de vreemdeling ligt te slapen.

'Hé vagebond, wil je weleens maken dat je wegkomt!' roept hij luid.

Anna is een stukje met hem meegelopen en kan haar lachen nauwelijks bedwingen. 'Grijp hem!' roept ze luid, maar eer Jaap daaraan kan voldoen wordt Siem wakker van het geschreeuw. Als hij dan de zakdoek van zijn gezicht haalt, ziet Jaap dat het zijn baas is. Hij schaamt zich dood. Niet in de laatste plaats voor Anna, die haar buik vasthoudt van het lachen.

'Vanwaar dat geschreeuw en die lol, Jaap?' vraagt Siem, de slaap uit zijn ogen wrijvend.

'Niks bijzonders, hoor!' zegt Jaap met een rood hoofd. 'Anna dacht dat er een vreemde vent in de boomgaard lag.' Jaap wil zijn gezicht redden, maar heeft niet zo gauw in de gaten dat Anna alles gehoord heeft.

'Nee, jij dacht dat!' protesteert ze dan ook lachend, waardoor de onfortuinlijke knecht zich behoorlijk in de maling genomen voelt.

Als Siem het lachende gezicht van Anna ziet, verbaast het hem niet dat juist zij de grap met de knecht heeft uitgehaald. Hij kent Anna vanaf de schoolbanken. Later groeide zij op tot een meisje bij wie iedere jongen een kansje waagde. Zij was een vrolijke en knappe meid. Nog is Anna een knappe vrouw. Jammer dat zij geen boerendochter is, want dan had hij vroeger zeker ook een kansje bij haar gewaagd en zou dat best gevolgen gehad kunnen hebben, maar vader had andere plannen met hem. Hij koos uiteindelijk voor Clazientje Adriaanse. Voor de tengere Clazientje had en heeft Siem een zwak.

'Je moet Jaap niet zo voor de gek houden, hoor!' kan Siem niet nalaten tegen Anna te zeggen als ze aan tafel zitten voor de avondboterham.

'Hij gaf er zelf aanleiding toe,' weet Jaan.

'Wisten jullie ook dat Jaap voor de gek gehouden werd?' vraagt hij aan Jaan en Clazien. Ze knikken en kunnen hun lachen niet inhouden.

'Hij moet maar tegen een lolletje kunnen, hoor!' meent Jaan en Clazien is het roerend met haar eens.

Als Siem en Clazien die avond na het pap eten en bidden de bedstee opzoeken, is het eigenlijk te warm om te slapen. Clazien ligt nog wat te lachen en Siem vraagt waar ze aan denkt.

'Ik moet nog denken aan de grap die Anna vandaag met Jaap heeft uitgehaald. Dat beteuterde gezicht van Jaap zie ik nog voor me. Die Anna is me er eentje, hoor!'

'Anna heb ik nog nooit chagrijnig gezien,' zegt Siem. 'Het is wel een duizendpoot. Ze is bijna de hele dag hier en straks komt ze nog bakeren ook. Waar haalt ze de tijd vandaan? Ze heeft ook nog de zorg voor haar man en twee kinderen.'

'Anna heeft alles keurig georganiseerd. Leentje neemt ze mee en ze geeft hem hier de borst, en Gerrie van drie brengt ze naar haar buurvrouw Neel Duivenbode.'

'Maar die heeft toch zelf een hok vol jongens,' weet Siem.

'Juist daarom is Gerrie er zo graag. Neel heeft zes kinderen en de oudste is pas dertien.'

'Aardig van Neel,' vindt Siem.

'Neel is een aardige meid, maar ze hoeft het niet voor niks te doen. Geld kan Anna haar niet geven, maar haar man Henk brengt er vaak een bak aardappelen en groenten. Die kunnen ze beter missen dan geld, want van de opbrengst van de tuin kun je niet vet soppen.'

'Laten we maar gaan slapen, Clazien.'

'Of dat lukt weet ik niet, want ik heb nog een beetje pijn in mijn buik van het lachen.' Die pijn in haar buik gaat bij Clazien niet over, maar wordt juist erger naarmate het later wordt. Ze is omstreeks deze tijd uitgerekend en ze vermoedt dat de baby op komst is. Siem ligt al te snurken en ze wil hem nog niet wakker maken, maar als de pijn nog erger wordt wekt ze hem.

'Ik denk dat het zover is, Siem,' zegt ze als ze aan zijn armen schudt. Maar Siem is in zijn eerste slaap en is moeilijk wakker te krijgen. 'Siem, wakker worden!'

'Wat is er?' vraagt hij verschrikt en als Clazien hem zegt dat hij Nel Salomons, de vroedvrouw, moet gaan halen, springt hij meteen uit bed.

'Wek eerst Jaan maar, Siem, ik voel me veiliger als er iemand bij me is.'

Jaan weet meteen wat er aan de hand is als Siem haar wekt en spoedt zich naar Clazien. Intussen heeft Siem de bruine vos voor de tilbury gespannen en laat het paard draven, want hij wil vlug bij Nel zijn.

Aangekomen bij het huisje van de vroedvrouw klopt hij luid op de deur, maar binnen hoort hij geen reactie. Hij wacht nog even, maar dan gieren de zenuwen hem door de keel als hij bedenkt dat Nel misschien niet thuis is, dus bonst hij nog maar een keer hard op de deur. Dan hoort hij tot zijn opluchting geschuifel in de gang en steekt Nel haar hoofd om de hoek van de deur. 'Je moet me even de tijd gunnen iets aan te trekken, hoor Siem!'

'Neem me niet kwalijk, Nel, maar het is zover met Clazien.'

'Dat had ik al begrepen, jongen.' Echt boos kan Nel niet worden, want ze weet dat het voor Clazien haar eerste kindje wordt en in dergelijke gevallen zijn de mannen bijna nog zenuwachtiger dan de kraamvrouwen zelf.

Nel kleedt zich verder aan en kan dan met Siem mee. De tas met spullen die ze bij een bevalling nodig heeft, staat altijd klaar.

'Om de hoeveel tijd komen de weeën, Siem?' wil Nel weten.

'Weeën? Daar heeft Clazien niet over gesproken. Ze had wat pijn in haar buik. Had ik nog moeten wachten, Nel?'

'Nee hoor! Je hebt gedaan wat de dokter wilde, want Clazien is een tenger vrouwtje en bij mijn laatste controle vond ik haar wel erg dik. Het zou weleens een grote baby kunnen worden.'

'O, ben je daar, Nel,' zegt Jaan opgelucht. Ze is blij dat de vroedvrouw er is, want Clazien ligt te kronkelen van de pijn. Dat ziet ook Nel als ze bij de kraamvrouw komt, en ze acht het dan verstandig meteen de dokter er maar bij te halen. Siem heeft nog niet uitgespannen en kan dus meteen op weg gaan om dokter Vredevoort te halen.

Siem schaamt zich een beetje om midden in de nacht bij dokter Vredevoort aan te bellen, maar als Nel het nodig vindt zal de dokter hem dat ook niet kwalijk nemen.

'Is het zover met je vrouw, Rouveen?' vraagt de dokter als hij de boer van Zwickezicht op de stoep ziet staan.

'Nel Salomons vindt het nodig dat u erbij komt, dokter,' verschuilt Siem zich achter de vroedvrouw, maar dokter Vredevoort knikt.

'Even mijn spullen pakken en dan ga ik met je mee, Rouveen. Als Nel het nodig vindt dat ik erbij kom, dan is het ook echt nodig, beste man.' Jeroen Vredevoort is nog een jonge dokter en misschien juist daardoor hecht hij grote waarde aan het oordeel van de geroutineerde vroedvrouw Nel Salomons. Het verbaast hem overigens niet dat Nel hem heeft laten roepen, want de boerin van Zwickezicht is een tenger vrouwtje en de boer daarentegen is een beer van een vent. Dat het een zware bevalling wordt, is voor hem wel zeker, en Nel heeft dat met haar beroep op hem bevestigd.

'Je moet me straks als alles achter de rug is ook weer terugbrengen, Rouveen, of heb je liever dat ik met eigen gerij kom?'

'Nee dokter, ik breng u wel terug. Hoe eerder u bij mijn vrouw bent, hoe liever het me is, want Nel keek al bedenkelijk en Jaan zei dat Clazien ligt te kronkelen van de pijn.'

'Nou, laat de vos dan maar draven, Rouveen. Ik ben op alles voorbereid.' Helaas wel, zou hij eraan willen toevoegen, want het zou hem niet verbazen als hij gebruik zou moeten maken van de tangen, die hij altijd bij zich heeft.

'Hoe is het hier?' vraagt de arts als Nel Salomons hem binnenlaat.

'Niet goed, dokter,' moet Nel tot haar spijt zeggen. 'De boerin ligt te kronkelen van de pijn en de vliezen zijn gebroken, maar het kind komt er niet uit.'

'Ik ga eerst de kraamvrouw geruststellen, Nel,' zegt de arts. Hij weet dat een kraamvrouw in paniek slecht meewerkt bij een bevalling. Hij heeft gelijk, want alleen al bij het zien van de dokter wordt Clazien wat rustiger. Nel heeft aan een half woord genoeg om te doen wat de dokter nodig vindt, maar ondanks dat duurt het allemaal erg lang. Siem zit zich te verbijten in de aangrenzende kamer, maar hij weet dat mannen bij een bevalling niet gewenst zijn.

'Hoe gaat het, Jaan?' vraagt Siem gespannen als de meid de verloskamer uitkomt om een ketel water op te zetten.

'De dokter en Nel zijn met haar bezig, Siem. Het gaat allemaal erg moeizaam, maar ze is in goede handen.'

'Maar heeft de dokter nog iets gezegd?'

'De dokter praat alleen met Nel en Clazien. Wacht nou maar rustig af, jongen. Het komt allemaal wel goed.' Siem was nog maar een klein ventje toen Jaan al door diens moeder werd aangenomen. Als kind zocht hij vaak troost bij haar als hem iets naars overkomen was. Die troost kan ze hem nu niet geven, want ondanks haar geruststellende woorden weet ze zelf niet hoe het allemaal afloopt.

Jaan is nog maar net de kraamkamer binnengegaan als Siem het doordringende geschrei van een baby hoort. Hij zou Jaan wel achterna willen gaan, maar hij weet dat hij Nel dan erg tegen de haren in zou strijken. Lang wordt zijn geduld echter niet op de proef gesteld, want kort erop steekt Nel haar hoofd om de hoek van de deur. 'Een flinke dochter, Siem, maar de vrouw heeft het zwaar gehad en zij vooral heeft nu onze eerste zorg nodig.'

'Een dochter,' stamelt Siem. Maar haar mankeert kennelijk niks. Clazien heeft alle zorg nodig. Hij heeft gemengde gevoelens. Hij had echt op een zoon gerekend, maar het is een dochter geworden en Clazien is er slecht aan toe. Moet hij nu blij zijn? Het wordt tijd dat ze hem toestaan zijn vrouwtje te bezoeken en haar zo nodig moed in te spreken. Van zijn teleurstelling omdat het geen zoon geworden is, mag hij niets laten blijken.

Even later komt de dokter de kamer in en hij stelt Siem op de hoogte van de toestand. 'Je dochter is een dikkerdje en zo gezond als een vis, Rouveen,' zegt hij, 'maar je vrouw is er slecht aan toe; ze heeft veel bloed verloren.'

'Komt ze er wel weer bovenop, dokter?' vraagt Siem angstig.

'Ze heeft rust en zorg nodig, Rouveen. Voor een tenger iemand als je vrouw was het kind veel te zwaar. Het zal wel weken duren eer ze weer op de been is en ontzie haar dan, Rouveen!' Het laatste heeft de jonge dokter met een strenge blik gezegd. Ieder jaar een kindje is bij de bewoners in het kleine dorp niet ongewoon. Er zijn gezinnen van zestien kinderen. Rijke boeren hebben genoeg voedsel, maar in de grote gezinnen van arbeiders en knechten wordt armoe geleden en erger, want de kindersterfte is er hoog. De boer en de boerin van Zwickezicht zullen het voorzichtig aan moeten doen. Niet dat ze voor meerdere kinderen geen eten zouden hebben, maar kinderen kort op elkaar krijgen zou voor de tengere boerin slecht kunnen aflopen.

Als Siem eindelijk wordt toegelaten in de kraamkamer toont Nel hem de kleine en er gaat dan van alles door de doorgaans nuchtere boer heen. Een kind van hemzelf; hij kan het nog niet bevatten, maar zijn echte aandacht gaat toch uit naar Clazien die bleek en afgetobd tussen de lakens ligt. Ze is vooreerst nauwelijks aanspreekbaar, maar haar moederinstinct wint het van haar vermoeidheid en dus vraagt ze zacht wat het geworden is. Vermoeid zakt ze terug in haar kussen als ze hoort dat het een meisje geworden is. Ze weet dat Siem op een jongen gerekend had, want zoals iedere boer denkt hij al vroeg, hoe jong hij ook is, aan opvolging. Zij is alleen maar opgelucht dat de kwelling achter de rug is. En als Nel haar de kleine meid in haar armen legt, ziet ze wat een lief roze hoopje mens de kleine Rietje is, want zo zal het kindje heten.

Clazien is nog erg zwak, maar de dokter laat haar met een gerust hart over aan de geroutineerde vroedvrouw Nel Salomons. Maar als de kraamvrouw goed verzorgd is, zit de taak van Nel erop. Haar plaats wordt ingenomen door Anna Bovenkamp, die zal bakeren. Een bekend gezicht aan haar bed is voor Clazien wel plezierig. Leentje, Anna's zoontje van ruim een halfjaar, ligt rustig te slapen in een van de drie bedsteden die de hoeve rijk is. Van de dokter heeft ze het consigne gekregen de kraamvrouw de eerste dagen volledige rust te gunnen, dus ook nog geen aanloop van belangstellenden toe te staan.

De dokter knikt tevreden als hij na enkele dagen langskomt en ziet dat Clazien wat opgeknapt is. Veel drukte kan ze nog niet hebben, maar de grootouders zijn welkom om de boreling te bekijken. De ouders van Clazien komen als eersten. Ze hebben zich zorgen gemaakt om hun dochter en ze zijn benieuwd hoe het kleintje eruitziet. Opoe Adriaanse is blij dat de kleine naar haar vernoemd is. Opa neemt de kleine roze handjes van Rietje in zijn grote ruwe werkhanden en is er stil van. 'Hoe kan het allemaal zo groeien,' mompelt hij. Ze blijven niet te lang, want het is voor Clazien nog wat te vermoeiend.

Later op de dag komt ook de moeder van Siem op kraamvisite. Ze is weer even op de hoeve waarop zij zo lang boerin was. Toen Siem met Clazien trouwde, was haar man al dood en ze wilde toen niet langer op de hoeve blijven. Ze trok bij een dochter in. Ze zei: 'Als ik blijf zullen de mensen mij blijven beschouwen als de boerin van Zwickezicht en ik wil dat ze Clazien als de nieuwe boerin zien.'

Bij haar dochter ligt dat anders, want die is al een aantal jaren getrouwd en dus evenzovele jaren boerin op een grote hoeve elders in het dorp.

Na enkele weken kan Clazien weer wat rondschuifelen in de kamer, maar ze is wel gauw moe. In de eerste weken komt de dokter geregeld langs.

'Ik ben niet ontevreden, vrouw Rouveen, maar als u moe bent moet u gaan rusten. Het gaat de goede kant op, maar u moet nog helemaal aansterken.'

De woorden van de arts doen Siem goed. Hij is blij dat zijn vrouw weer wat door het huis kan scharrelen en hij is ook blij met zijn gezonde dochtertje. Het is helaas geen zoontje geworden. Dat er ooit een jongetje zal komen staat te bezien, want de dokter heeft tot voorzichtigheid gemaand.

'Fijn dat u tevreden bent, dokter,' zegt Siem als hij de arts uitlaat.

'Ik hoop dat ik tevreden kan blijven, Rouveen.'

'Hoe bedoelt u dat, dokter?'

'Ik heb je de vorige keer gezegd dat je voorzichtig moet zijn met je tengere vrouwtje. Vermijd haar vruchtbare perioden als je toch wilt vrijen, want dan is de kans op zwangerschap gering.'

'Hoe weet ik dan wanneer ze haar vruchtbare periode heeft?'

'Dat moet je met je vrouw bespreken. Gelukkig is haar menstruatiecyclus vrij constant.'

'Haar wat?'

'Ze wordt op geregelde tijden ongesteld, als dat duidelijker is voor je. Veertien dagen na die ongesteldheid is ze het vruchtbaarst. Neem een ruime marge voor en na die dag. Dan wordt haar veel ellende bespaard en jouzelf natuurlijk ook, want wederom een zwangerschap kan erg gevaarlijk zijn. Tot ziens, Rouveen, en denk aan mijn advies.'

Siem groet de jonge dokter en krabbelt eens onder zijn pet. Denkt de dokter nou echt dat hij over zulke intieme en ingewikkelde dingen met Clazien kan gaan praten? Hij zou zich doodschamen. Hoofdschuddend gaat hij weer aan het werk. Het is een drukke tijd, want het gras is al gemaaid en dus zal de hooibouw weer zijn volle aandacht opeisen. Het is begin juli en het droge en zonnige weer houdt nog aan. Precies wat een boer tijdens de hooibouw nodig heeft.

Het hooi is droog in de barg gekomen en de jaarlijkse kermis is ook alweer achter de rug. Met de goede zorgen van Jaan en Anna is Clazien voldoende aangesterkt om weer wat mee te draaien in de dagelijkse huishoudelijke taken. Op aandringen van de twee vrouwen doet ze het wel rustig aan, maar als er kaas gemaakt moet worden is zij van de partij. Ze voelt zich er wat nuttiger door, en doordat ze gedurende de zomer veel op de bank achter het huis in het zonnetje gezeten heeft, heeft ze weer wat kleur op haar wangen gekregen.

De kleine Rietje groeit als kool. Met haar blonde krullenkopje lijkt ze op moeder Clazien.

Vader Siem vindt de kleine meid schattig, maar zolang ze een baby'tje is kan hij er niet veel mee. Hij is bang dat hij haar beschadigt als hij haar in zijn ruwe werkhanden neemt, maar de meer ervaren Anna wijst hem erop dat baby'tjes meer weerstand hebben dan op het eerste gezicht lijkt.

Nadat Anna Bovenkamp gebakerd heeft, is ze halve dagen blijven komen om het gezinnetje van Siem en Clazien Rouveen draaiende te houden. Haar dochtertje Gerrie vermaakt zich nog best in het grote gezin van Neel Duivenbode, en Leentje van acht maanden ligt te kraaien op een dekentje in het looprek, dat Siem gekocht heeft.

Ondanks de wijze woorden van Anna blijft Siem voorzichtig met de baby, maar dat wordt anders als Rietje een halfjaartje is. Ze is dan gek op haar sterke vader die met haar dolt tot ze schatert van de pret. Clazien zit het tafereeltje glimlachend te bekijken, maar ze heeft zorgen. Ze is de bevalling van Rietje zeker nog niet vergeten en ze vreest voor een nieuwe beproeving. Ze ligt erover te piekeren in de bedstee. Dat de dokter haar man op het hart gedrukt heeft voorzichtig te zijn, is haar niet bekend. Siem is een gezonde, hartstochtelijke man en hij kan zijn driften niet beteugelen, met als gevolg dat haar ongesteldheid weer uitblijft. Ze schrikt ervan, want ze kent de symptomen, maar ze wil zekerheid. Dus besluit ze die vrijdagmorgen, als Siem naar de veemarkt in de stad is, naar de dokter te gaan.

'Wat kan ik voor u doen, vrouw Rouveen?' vraagt de arts. Hij is al enkele maanden niet op Zwickezicht geweest en vermoedt dat de boerin nog wat last heeft van de zware bevalling van een halfjaartje terug. Misschien wat hoofdpijn, want dat komt nogal eens voor. Maar het blijkt iets heel anders te zijn.

'Ik zou willen dat u mij even onderzoekt, dokter. Mijn ongesteldheid is uitgebleven en ik ben al enkele ochtenden misselijk. Precies hetzelfde had ik toen ik in verwachting raakte van Rietje, dus ik denk dat er weer een kindje op komst is.'

'Natuurlijk zal ik u even onderzoeken, vrouw Rouveen, maar uit hetgeen u mij vertelt leid ik af dat uw vermoeden juist is.'

Nieuwsgierige dorpelingen die die ochtend ook op het spreekuur van dokter Vredevoort komen, willen graag weten wat de rijke boerin van Zwickezicht mankeert, maar Clazien houdt zich op de vlakte. 'Een koutje heb je om deze tijd van het jaar gauw opgelopen,' zegt ze om van het gevraag af te komen, maar de dorpelingen laten zich niet met een kluitje in het riet sturen. Ze weten dat Clazien Rouveen een zwak gestel heeft en willen graag de bevestiging van hun veronderstelling dat zij te veel van zichzelf gevergd heeft. Meer dood dan levend was ze na de bevalling. In het kleine boerendorp aan de Zwicke is zo'n gebeurtenis op een van de grootste hoeven van het dorp groot nieuws.

Gelukkig hoeft Clazien er niet verder op in te gaan, want de dokter roept haar binnen en bevestigt haar vermoeden.

'Heeft uw man niet met u over vruchtbare en onvruchtbare perioden gesproken, vrouw Rouveen?' wil de arts weten, maar Clazien schudt niet-begrijpend haar hoofd.

'Daar heeft mijn man toch geen verstand van, dokter,' reageert zij verbaasd.

'Uw man niet, maar ik wel en ik heb hem geadviseerd er met u over te praten om het risico van weer een zware bevalling te voorkomen.'

'Daar hebben wij het nooit over gehad, dokter. Stel je voor!'

'Jammer, vrouw Rouveen, maar eerlijk gezegd was ik er al bang voor.' Ondanks die constatering is de jonge dokter

Jeroen Vredevoort erg ontstemd. Op de Leidse universiteit is het onderwerp van tengere vrouwen met een smal bekken in relatie tot zwangerschap uitvoerig behandeld. Toen hij coassistent in het academisch ziekenhuis in Leiden was, heeft hij zelf de vreselijke gevolgen van zulke onverantwoorde zwangerschappen met eigen ogen kunnen aanschouwen. Nu doet iets dergelijks zich voor in zijn eigen praktijk in een klein boerendorp, waar mensen kennelijk liever doodgaan of ongelukkige kinderen ter wereld brengen dan over intieme zaken te praten.

'Ik ben vanmorgen bij dokter Vredevoort geweest, Siem,' zegt Clazien als haar man terugkomt van de markt.

'Daar heb je niks van gezegd. Wat scheelt eraan?'

'Ik ben weer zwanger.'

'Nou alweer!' schrikt Siem. De zware bevalling van Rietje staat hem nog duidelijk voor de geest en hij herinnert zich de waarschuwingen van de dokter.

'De dokter was ook verbaasd en eigenlijk ook een beetje kwaad.'

'Kwaad?' Siem weet wel bijna zeker waarover de dokter zich kwaad gemaakt heeft, maar hij wil het van zijn vrouw horen.

'Nou ja, hij had een beetje vreemd verhaal over vruchtbare perioden en zo, en jij had daar met mij over moeten praten. Maar over zoiets hebben wij het nog nooit gehad en dat heb ik de dokter ook gezegd.'

'Eerlijk gezegd schaamde ik me om daarover met jou te praten, Clazien. Zo'n jonge dokter heeft wel rare ideeën, hoor!'

'Ja, dat vind ik eigenlijk ook.'

'Laten we hopen dat het deze keer een stuk beter gaat dan bij de geboorte van Rietje, en misschien schenk je mij een zoon. Een Thijs Rouveen als nieuwe boer op Zwickezicht. Jammer dat mijn vader het niet meer meemaakt dat er weer een naamgenoot van hem op de hoeve komt, Clazien.'

'Niet te hard van stapel lopen, Siem, het kan wel weer een meisje worden.' Clazien remt haar man wat af en ze hoopt maar dat hij gelijk krijgt. Vanaf het begin van hun trouwen is het de grootste wens van Siem dat hij snel een zoon zal krijgen.

Opoe Adriaanse, de moeder van Clazien, trekt bezorgde rimpels in haar voorhoofd als ze hoort dat haar tengere dochter weer zwanger is. 'Hadden jullie niet een tijdje kunnen wachten?' vraagt ze.

'Ik ben de sterkste niet, moe,' reageert Clazien, 'maar Siem is een sterke, gezonde kerel en houd die maar eens in toom.'

'Dat is wel waar, meisje, maar hij had toch een poosje kunnen wachten!' De oude boerin kijkt haar kind met een blik vol medelijden aan, want dat het wederom een zware bevalling zal worden staat voor haar wel vast. Een broos meisje was Clazientje altijd, en jongens liet ze links liggen. Het was misschien beter geweest als haar man Koos haar kind niet aan zo'n reus van een vent gekoppeld had. Niet dat Siem slecht voor Clazien is, integendeel, maar hij had best rekening met haar situatie kunnen houden. Rietje is amper een halfjaar en Clazien is de gevolgen van haar geboorte nog maar nauwelijks te boven.

De bedsteedeurtjes staan open en Rietje, die aan het voeteneinde in een kribje ligt, heeft de stem van opoe zeker gehoord, want zij laat duidelijk horen dat ze wakker is en naar opoe wil. Opoe wiegt haar vaak in haar armen en ze is altijd erg lief voor haar. Ja, opoe Adriaanse is gek op haar naamgenootje. Ze mag de kleine zelf uit het kribje halen en knuffelt haar.

'Jouw evenbeeld toen je zo klein was, Clazien,' zegt ze en ze aait haar lieve kleinkind over haar blonde krullenkopje.

24

Dokter Vredevoort komt nu geregeld langs om de zwangere boerin in de gaten te houden.

'Hij zal Thijs heten, dokter,' zegt Siem trots. 'Er komt weer een Thijs Rouveen als boer op Zwickezicht. Jammer dat vader dat niet meer kan meemaken.'

De dokter haalt zijn schouders maar eens op en gaat er niet op in. Wel vindt hij dat de jonge boer zich eerder druk moet maken om wat zijn vrouw te wachten staat. Het zou deze keer weleens faliekant mis kunnen gaan.

Als de dokter weg is, tempert Clazien het enthousiasme van haar man wat. 'Ten eerste weet je niet of het wel een jongetje wordt, en ten tweede kan er van alles misgaan. Het is niet voor niets dat de dokter geregeld langskomt. Hij meet mijn bloeddruk en waarschuwt voor te veel zout.'

Siem schudt enigszins wrevelig zijn hoofd en zegt: 'Ik wil niet meedoen met al dat doemdenken, Clazien!'

Hij beklaagt er zich ook over als de dokter weer langskomt, maar deze is het niet met hem eens en wijst erop dat de boerin gelijk heeft dat er van alles mis kan gaan.

Als Siem de arts uitlaat, kan hij zijn boerenwijsheid niet voor zich houden. 'Ik had een jonge vaars die bij de geboorte van haar eerste kalf bijna het loodje legde, maar in de volgende jaren veel minder problemen had met kalven.'

Hij waakt er wel voor deze wijsheid in het bijzijn van zijn vrouw te poneren, wat niet wegneemt dat hij uit die wetenschap moed put voor de tweede bevalling van zijn vrouw.

Maar de dokter wijst hem er fijntjes op dat een vrouw geen koe is en andersom. Hij ergert zich een beetje aan de uitspraak van de boer, maar hij moet er toch ook om lachen. Het lijkt wel of de lummel zich op deze manier tracht te verontschuldigen voor zijn amoureuze driften.

Maar de jonge dokter Jeroen Vredevoort heeft, in de vier jaren waarin hij de zorg heeft voor het lichamelijk welzijn van de dorpelingen, eelt op zijn ziel gekregen. Als hij weleens contact heeft met studiegenoten die een praktijk in een grote stad hebben, dan liggen die krom van het lachen als Jeroen vertelt wat hij allemaal meemaakt in het gat aan de Zwicke. Vooral de middeltjes, die de mensen zelf bedenken om hun zieken te genezen, wekken verbazing en ongeloof. Maar ze leven ook met hem mee als hij vertelt van de trieste ervaringen die hij vooral met de grote gezinnen van daggelders en knechten heeft. Wel wijzen ze hem erop dat diezelfde problemen zich voordoen in de grote steden, waar de armoe soms nog schrijnender is. Een huisje met een moestuin en frisse lucht in een dorp is te verkiezen boven een krot in een donkere steeg in het hartje van een grote stad als bijvoorbeeld Rotterdam. De sociale controle is daar ook niet te vergelijken met de situatie in een klein dorp. Daar kent iedereen elkaar en houden ze elkaar in de gaten. In de grote stad gaan vaders van grote gezinnen niet zelden de kroeg in nadat ze hun loon gebeurd hebben. Niet alleen dat hij dronken thuiskomt en de boel kort en klein slaat, maar moeder de vrouw moet vervolgens het huishouden runnen met minder dan een kwart van het loon dat haar man verdient.

'Het is overal wat' is hun conclusie, en daar is Jeroen het mee eens. Hij is nog niet zo slecht af met zijn werk in het plattelandsdorpje.

HOOFDSTUK 2

'Nou alweer?' schrok Jaan toen Clazien haar vertelde dat de dokter haar vermoeden bevestigd had.

'Ja, ik ben weer zwanger, Jaan,' zuchtte Clazien. Ze begreep dat de meid schrok van die mededeling, want zij heeft de eerste keer alles meegemaakt. Dankzij haar zorgen en die van Anna is ze er weer bovenop gekomen, maar ze is het eens met de meid dat ze alweer vlug in verwachting is.

'Beloof me dat je geen zwaar werk meer doet, Clazien, want je moet erg voorzichtig zijn. Dan gaat het deze keer misschien beter.'

'Ik zal eraan denken, Jaan,' reageerde Clazien. Ze houdt van Jaan en dat is andersom ook zo. Toen ze met Siem trouwde, was Jaan al vele jaren meid op Zwickezicht en ze is vanaf de eerste dag een geweldige steun voor haar. Een moeder kan niet beter voor haar zorgen dan Jaan.

Als Jaan de eerste weken na het bezoek van Clazien aan de dokter ziet dat zij toch meer doet in het huishouden dan zij verantwoord vindt, stelt ze voor Anna te vragen niet alleen de ochtenden te komen helpen, maar ook nog enkele middagen. Ze weet dat Anna het geld goed kan gebruiken. Bovendien werkt Jaan graag met de tuindersvrouw samen, want Anna is hartelijk en ze is langzamerhand erg vertrouwd geraakt met het werk op de hoeve.

'Als jij dat beter vindt, vraag het dan zelf maar aan Anna, Jaan,' reageert Clazien op het voorstel van de meid.

'Ik deel je zorgen, Jaan,' zegt Anna als Jaan met haar voorstel komt. 'Als Clazien het goedvindt, kom ik op maandag en vrijdag de hele dag. Op maandag kan ik dan wat langer helpen met de was.'

Natuurlijk vindt Clazien het goed. Ze vindt het fijn als Anna er is. Zij is het zonnetje in huis en je kunt zo fijn met haar praten. Als na de zomer de opbrengst van de tuin wat minder wordt, stopt ze haar wel wat extra geld in haar hand en zorgt ervoor dat Neel Duivenbode, die altijd voor Anna klaarstaat, wat worst en kaas krijgt, want die heeft heel wat mondjes te vullen. Ja, Clazien heeft haar hart op de goede plaats en als rijke boerin kan ze ruimhartig zijn, want ze hoeft er zelf geen boterham minder om te eten.

Het verbaast Anna eigenlijk niet dat Siem Rouveen zijn seksuele driften slecht kan bedwingen. Als jonge knul was hij al een hartstochtelijk minnaar. Ze heeft enige ervaring met hem opgedaan op een zwoele kermisavond. In het dorp is het gebruikelijk dat er na de kermis 's avonds druk gevreeën wordt. Siem was en is een gezonde, knappe knul en het was eigenlijk een voorrecht met hem de kermis-avond door te brengen. Al de hele dag had Siem om haar heen gedraaid en hij was niet de enige. Ze weet van zich-zelf dat ze vroeger een 'lekkere meid' was, zoals de jongens het noemden. Nooit had ze gedacht dat de knappe en hartstochtelijke Siem het later eens zou worden met Cla-zientje Adriaanse. Zelf is ze een jaartje ouder dan Clazien en ze herinnert zich haar als schoolmeisje. Geld kan nau-welijks de doorslag hebben gegeven, want als rijke boeren-zoon had Siem keuze genoeg onder de welgestelde boeren-dochters. Wel merkte ze dat Siem altijd voor Clazientje in de bres sprong als zij gepest werd, en dat gebeurde nogal eens. Clazientje kon niet van zich af bijten als ze belaagd werd, maar Siem des te beter. Het leek wel of hij de be-hoefte gevoelde de tengere Clazientje tegen onheil te be-schermen. Ze herinnert zich Siem als een gevoelige jongen.

Op latere leeftijd heeft Siem nooit openlijk toenadering

tot Clazien gezocht. Zelf mocht zij, Anna, Siem graag lijden en ze had de indruk dat dat andersom ook zo was. In die zin was het slippertje op die kermisavond kennelijk niet toevallig, maar zij wist wel dat ze zich geen illusies hoefde te maken, want haar vader had maar een klein bedrijfje terwijl Thijs Rouveen, de vader van Siem, de grootste boer van het dorp was. Nog straalt Zwickezicht, waar Siem nu zelf de boer is, welvaart uit.

Hoewel ze gelukkig getrouwd is met de kleine tuinder Henk Bovenkamp, heeft ze in haar hart altijd een warm plekje overgehouden voor Siem. Ze merkt aan Siem dat hij haar nog altijd graag mag, maar hij koestert toch zijn tengere vrouwtje. Haar tegen onheil beschermen vormt nog steeds, of misschien wel vooral, een belangrijk onderdeel van zijn genegenheid. Dat hij zijn tengere vrouwtje het beste kan beschermen door haar in de bedstee wat te ontzien, beseft de jonge boer kennelijk niet. Anna weet niet dat de dokter hem al eens over dit onderwerp aangesproken heeft. Het zou haar overigens niet verbazen, want ze vindt dat die jonge dokter Vredevoort moderne opvattingen heeft. Het was voor haar even wennen toen Vredevoort de oude arts zo'n vier jaar geleden opvolgde, maar zij draagt hem op handen. Ze weet best dat niet iedereen het met haar eens is, want de doorsnee dorpeling zweert bij de eigen middeltjes en laat de jonge arts maar praten als hij ertegen waarschuwt.

Rietje werd op 4 juli geboren toen het bloedheet was. Clazien weet dat de geboorte van haar tweede kindje in de herfst zal zijn, dus over hitte hoeft ze zich deze keer geen zorgen te maken. Om wie zij zich wel zorgen maakt is haar moeder. Haar gezondheid gaat sterk achteruit. Ze vraagt er de dokter naar als hij langskomt. Deze schudt zijn hoofd en haalt in onmacht zijn schouders op.

'Ik heb uw moeder geadviseerd minder vet te eten en

meer te lopen. Beweging en schralere kost is voor uw moeder de beste remedie, maar ik heb niet de indruk dat ze zich iets van mijn advies aantrekt. Haar benauwdheden keren steeds terug en alles wijst erop dat het niet goed zit met haar hart.'

'Moe is altijd dik geweest. Om haar figuur heeft ze zich, evenals de meeste boerinnen, nooit zorgen gemaakt. Alles zat en zit onder haar wijde kleren en niemand ziet het.'

'Maar ik wel, vrouw Rouveen. Ik zei haar dat ze beter naar Zwickezicht kan gaan lopen dan zich met een rijtuig hierheen te laten rijden, maar ze vindt het wat te ver. Ze beseft kennelijk niet dat ze met haar leven speelt.'

'Is het zó erg, dokter?'

'Helaas wel, vrouw Rouveen. Misschien helpt het als u eens met haar praat als ze weer op bezoek komt.'

'Dat zal ik zeker doen, want ik maak me zorgen om haar en ik zal ook mijn vader erbij betrekken. Hij is nog goed ter been en dan komen ze samen maar hierheen.'

'Uw vader is een schrale man en heeft dus weinig gewicht mee te torsen. Qua figuur lijkt u meer op uw vader dan op uw moeder, maar wat extra pondjes zou u best kunnen gebruiken.'

'Die komen er vanzelf wel aan als mijn zwangerschap nog wat vordert.'

'Dat is wat anders! Enfin, we hebben het niet voor 't zeggen, maar ik zou wel willen dat mijn adviezen wat serieuzer genomen zouden worden, want er zijn meer mensen die mijn raad aan hun laars lappen.'

Dat moeder Adriaanse de raad van de dokter aan haar laars gelapt heeft, blijkt enkele weken later als Piet Adriaanse, een broer van Clazien, op Zwickezicht komt met het ontstellende bericht dat moeder die nacht overleden is. Volgens de dokter was het een hartstilstand.

'Hij was er al bang voor, Piet,' huilt Clazien. 'Ze had

beter naar hem moeten luisteren, maar nu is het te laat.'

'Wat zei de dokter dan?'

'Het heeft geen zin dat nu allemaal te vertellen, Piet, want nu is er toch niets meer aan te doen. O, wat erg! Ze was amper zestig.'

'Ja, veel te jong, Clazien. We zullen haar missen.'

'Hoe is pa eronder?'

'Hij houdt zich flink, maar ik zie aan hem dat hij er kapot van is.'

Siem en Jaan hebben Piet Adriaanse zien komen en ze zijn benieuwd wat hij komt doen. Als een familielid midden op de dag in zijn werkplunje komt, moet er iets aan de hand zijn. Ook zij schrikken van de trieste boodschap en condoleren broer en zus met dit gevoelige verlies.

'Als wij op de een of andere manier kunnen helpen, dan moet je het ons laten weten, hoor Piet!' zegt Siem.

'Bedankt voor je aanbod, Siem, maar ook de buren hebben al hulp aangeboden, dus ik denk dat we ons wel zullen redden.' In het kleine dorp aan de Zwicke staan de bewoners altijd klaar om elkaar te helpen als zich een noodgeval voordoet. Ze weten dat de plotselinge dood van een boerin de gang van zaken op de hoeve danig in de war schopt.

Na het melken de volgende ochtend spant Siem meteen in om met Clazien naar de hoeve van haar ouders te rijden. De luiken van de hoeve zijn gesloten en binnen heerst er een verdrietige stemming.

Vader Koos heeft, samen met zijn oudste zoon, de dingen geregeld die gedaan moesten worden. Nu zit hij stil in zijn stoel en kijkt verdrietig voor zich uit. Vijfendertig jaren is hij samen geweest met zijn Rietje, maar nu is zij plotseling gestorven. Deze trieste gebeurtenis is bij hem ingeslagen als een bom. Hij schudt zijn hoofd ten teken dat hij er niets van begrijpt en mompelt een bedankje als zijn schoon-

31

dochter hem een kom thee aanreikt. Een schrale man is Koos Adriaanse altijd geweest, maar nu tekent het intense verdriet om het verlies van zijn vrouw zich duidelijk af op zijn magere gezicht.

Moeder Adriaanse is al gekist, en 's avonds komen familieleden, buren en bekenden bidden voor het zielenheil van de overledene. De kist is van glanzend mahoniehout, voorzien van fraai koperbeslag. Omdat de boerin plotseling gestorven is, klinkt het aloude gezegde 'ze legt 'r môi bai' in de rouwkamer. Clazien vindt er niks moois aan en huilt van verdriet.

'Ik ben blij dat we haar nog het plezier hebben kunnen doen door ons eerste kindje naar haar te vernoemen, Siem,' zegt ze als ze die avond teruggekeerd zijn op Zwickezicht.

De gedachte dat haar moeder, die enkele dagen geleden nog springlevend was, nu stijf in een kist in haar ouderlijk huis ligt, houdt Clazien uit de slaap. Ze beseft eens temeer dat het leven eindig is. Bij de een sneller dan bij de ander. Toch is er een wetmatigheid in de natuur. De bovenmeester op school kon daar gevoelig over vertellen. Over het kindje dat jong en fris is als het net geboren is en tijdens jeugd en jonge jaren vol leven zit, en dat dat leven ook weer wordt doorgegeven in het nageslacht. 'Daarna komt de herfst van het leven met geleidelijk meer verval. De levenscyclus van mens en dier is ongeveer gelijk, maar ook in het plantenrijk vinden we overeenkomsten,' zo hield meester Galjaard zijn leerlingen voor. 'In het prille voorjaar barsten de knoppen van planten en bomen open en ontvouwt zich een fris en groen blad of een kleurrijke bloem. Het blad verschrompelt en laat een knop na met daarin een opgerold blaadje. De bloem heeft vaak stuifmeeldraden die door de wind of de bijen worden meegenomen om andere planten te bevruchten of elders wortel te schieten. Het is de kringloop van het leven die wat de planten betreft, in het voorjaar begint en in de winter eindigt, althans voorlopig. De mens is niet zo aan jaargetijden gebonden als het om het voortbestaan gaat. Straatarme mensen sterven het hele jaar door vaak door gebrek aan voedsel of andere ontberingen.'

En rijke boerinnen soms aan te veel eten en te weinig beweging, bedenkt Clazien met een wrang gevoel.

De volgende dag is de rouwmis en de begrafenis. De familie Adriaanse behoort niet tot de meest welgestelde van het dorp, maar zij telt mee en de belangstelling is dan ook groot. De naaste familie volgt als eerste de kist naar het kerkhof en zal later de condoleances van belangstellenden in ontvangst nemen.

Clazien is dagenlang van streek, maar op de boerderij is er weinig tijd voor bezinning. Er moet gewerkt worden. Veel van het werk wordt haar door Jaan en Anna uit handen genomen, maar als er kaas gemaakt moet worden is zij van de partij. Jaan kent na al die jaren ook de fijne kneepjes van het vak. Die kennis heeft zij van de moeder van Siem overgenomen, maar Siem vindt het wakend oog van Clazien toch belangrijk. Zij koppelt de kennis van Jaan aan haar eigen ervaring thuis, en evenals Jaan oogst ook zij lof als ze weer in de prijzen vallen. Evenals vroeger is de kwaliteitskaas van Zwickezicht een begrip en Siem is daar trots op, want op de kaasmarkt hoeft hij zijn waar nauwelijks aan te prijzen.

Maar in de loop van het jaar krijgt Clazien toch steeds meer moeite zich er intensief mee te bemoeien. Haar gang wordt trager en ten slotte schrijft de dokter haar volledige rust voor. Wederom schrikt hij van de omvang van de tengere boerin. Haar smalle bekken zal zeker weer de nodige problemen opleveren bij de bevalling.

'Als het zover is om Nel Salomons te waarschuwen, dan

wil ik er ook bij zijn,' zegt hij tegen Siem. 'We kunnen deze keer niet voorzichtig genoeg zijn.'

'Of de duvel ermee speelt,' moppert Siem zenuwachtig als de geboorte zich ook deze keer in het holst van de nacht aandient. Het is bovendien erg slecht weer, maar angst dat het mis kan gaan drijft hem het bed uit en hij gunt zich nauwelijks de tijd om zich goed aan te kleden. Nadat hij Jaan gewaarschuwd heeft, gaat hij eerst naar Nel en samen met haar meteen door naar de dokter. Terwijl Jaan de wacht houdt bij Clazien is Siem met de dokter en de vroedvrouw onderweg. Hij is opgelucht dat hij hen beiden thuis getroffen heeft.

Jaan en Clazien zijn beiden doodnerveus als de twee verloskundigen arriveren. Tevergeefs heeft Jaan geprobeerd haar bazin te kalmeren, maar die baadt in het zweet van angst, want zij heeft allang begrepen dat deze bevalling een ware vuurproef zal zijn. De vroedvrouw en de dokter warmen eerst hun handen, want ondanks de gerieflijke kapwagen kreeg het gure en stormachtige weer vat op hen.

Jaan heeft alles al zo goed mogelijk voorbereid. Er staat een grote ketel water op het vuur en op het matras heeft zij een zeil gelegd om doorlekken te voorkomen. De ervaring van de vorige bevalling komt haar nu goed van pas.

In het begin zijn de weeën nog niet sterk, maar naarmate de tijd verstrijkt worden ze heftiger.

'Zonder hulpmiddelen zal het waarschijnlijk niet lukken, Nel,' fluistert de dokter de vroedvrouw, die hem bij zo veel bevallingen al geassisteerd heeft, toe. Hij kent haar vakkennis en geduld en ze heeft in haar lange loopbaan al veel meegemaakt, maar als hij de tangen uit zijn tas haalt griezelt ze toch. Enkele keren heeft zij het finaal mis zien gaan, en aan het bedenkelijke gezicht van de dokter te zien, is die er ook niet gerust op.

'Ga maar even naar het achterhuis, Jaan,' zegt Nel als ze

ziet dat de meid staat te trillen op haar benen bij het zien van de tangen van de dokter. 'Ik zal je wel roepen als we je hulp weer nodig hebben.'

De ervaren vroedvrouw heeft niet alleen medelijden met de kraamvrouw, maar ook met haar meid, die ze de marteling van haar bazin wil besparen. Bij de vorige zware bevalling van de boerin heeft ze gezien met welk een zorg Jaan haar bazin omringde. Niet voor niets vertrouwde Clazien haar destijds toe dat Jaan als een moeder voor haar is. Jammer dat zo'n zorgzame vrouw niet zelf het geluk van een eigen gezinnetje kent. Maar dat haar liefderijke toewijding door het boerenstel gewaardeerd wordt, weet ze wel zeker.

Het wordt een extreem zware bevalling. Het is een jongetje, maar met zijn bijna negen pond veel te zwaar voor de tengere kraamvrouw. Ze heeft veel bloed verloren en ook het kindje vertoont enige beschadigingen door de beide lepels van de tangen. Maar moeder en kind leven en Nel is ervan overtuigd dat dat niet zo zeker zou zijn geweest zonder het doortastende optreden van dokter Vredevoort.

'Prent alle betrokkenen goed in dat de kraamvrouw minstens een week volledige rust moet hebben. Als ze zelf niet in staat is het kind te voeden, dan ken ik wel een vrouw die meer borstvoeding heeft dan voor haar kindje nodig is. Zij kan de melk dan afkolven en Siem Rouveen heeft geld genoeg om de arme daggeldersvrouw ervoor te belonen.'

'Het is me duidelijk, dokter, en ik zal ervoor zorgen dat uw instructies strikt zullen worden nageleefd. Jaan en Anna Bovenkamp zullen het met liefde doen.' Nel weet dat Anna ook deze keer het bakeren voor haar rekening zal nemen.

'Je hebt een zoon, Rouveen,' zegt de arts nogal kortaf als hij in de huiskamer komt en de boer ziet. 'Vraag me niet wat je vrouw heeft moeten doormaken, maar daar hebben

35

we het nog wel over.' Om de eigenwijze boer meteen na de geboorte van zijn kind de mantel uit te vegen gaat hem wat te ver, maar hij zal hem toch duidelijk moeten maken dat hij het leven van zijn vrouw echt op het spel zet als hij haar nog een keer zwanger maakt.

Mede door de zure mededeling van de dokter voelt Siem schaamte voor het leed dat hij zijn tengere vrouwtje heeft aangedaan. Toch is hij opgelucht dat zij hem een zoon en opvolger geschonken heeft. Het duurt nog wel een hele poos, maar ooit zal er weer een Thijs Rouveen boer op Zwickezicht zijn.

'Hoe gaat die dikzak heten?' vraagt Nel aan Siem. Ze is dan niet verbaasd dat het Thijs zal zijn, vernoemd naar zijn overleden vader.

'Ja Nel, er komt later weer een Thijs Rouveen als boer op Zwickezicht en ik ben daar heel trots op, maar nu moeten we alles doen om Clazien weer op de been te krijgen. Ze heeft het zwaar gehad, hè?'

'Heel erg zwaar, Siem. Rust is nu het voornaamste. Ik zal instructies achterlaten voor Anna, maar jij moet weten dat ze de eerste week geen belangstellenden aan haar bed zal kunnen verdragen. Tenzij ze er zelf om vraagt natuurlijk.'

Wie moeder en kind niet met rust wil laten, is kleine Rietje. Ze is stomverbaasd als ze haar kleine broertje in haar armpjes gedrukt krijgt. Ze houdt de baby stevig vast. Ze kan nog niet veel zeggen, maar aan haar vreugdekreetjes is te merken dat ze erg blij is met kleine Thijs. Van haar moeder krijgt ze geen hoogte; die ligt met gesloten ogen in de bedstee.

Nee, moeder Clazien is doodmoe en heeft er geen benul van wat er rondom haar gebeurt. Als Thijs te kennen geeft dat hij honger heeft, legt Anna hem bij Clazien aan de borst en dan wordt de kleine jongen stil en ligt hij vredig te zuigen. Maar al na enkele dagen loopt het zog terug en geeft Thijs duidelijk te kennen dat hij niet genoeg heeft. De dokter is nog even langs geweest. De naam van de daggeldersvrouw met genoeg borstvoeding voor twee is Trijn Koolhaas. Nadeel is dat ze aan het andere eind van het dorp woont. Anna en Jaan zijn de aangewezen personen de afgekolfde melk enkele keren per dag op te halen. Ze willen het Siem niet aandoen dit karweitje op te knappen. Hij zou erom uitgelachen worden.

'Ik denk dat ik Thijsje zelf maar de borst geef,' oppert Anna.

'Jij?' Jaan weet niet wat ze hoort.

'Ja, Leentje jengelt nog steeds om de borst, en om hem zoet te houden geef ik hem af en toe zijn zin maar, want gek genoeg heb ik nog voldoende.'

'Je bent een goeierd, Anna!' Het gebaar van de tuindersvrouw ontroert Jaan. Als Clazien een beetje bij haar positieven is, denkt zij er ook zo over. Ze is Anna er heel erg dankbaar voor en de band tussen de twee vrouwen wordt er nog hechter door.

Toch moet Anna na korte tijd tot haar spijt constateren dat ze niet voldoende borstvoeding heeft om Thijs te verzadigen en moet er alsnog gebruikgemaakt worden van de tip van de huisarts.

'Ik ga eerst zelf wel met Trijn praten,' zegt Anna. Trijn Koolhaas heeft ongeveer haar leeftijd en ze kent haar vooral van vroeger toen ze samen nog naar school gingen. De laatste jaren heeft ze nooit meer contact met haar gehad. Ze weet wel dat Trijn de dochter is van een daggelder en dat ze het thuis met een groot gezin niet breed hadden. De geschiedenis schijnt zich te herhalen, want Trijn is getrouwd met Fons Koolhaas en hun gezin groeit gestadig.

'Anna!' roept Trijn verrast als zij haar vroegere klasgenootje voor de deur ziet staan. 'Dat is een poos geleden.'

'Nou ja,' zwakt Anna wat af, 'we zijn elkaar toch nog niet uit het oog verloren.'

'Nee,' moet Trijn beamen, want in het kleine dorp aan de Zwicke komen de dorpsbewoners elkaar regelmatig tegen in de kerk en bij feestelijke gelegenheden, zoals de kermis. 'Maar het is toch lang geleden dat we elkaar gesproken hebben. Kan ik wat voor je doen, Anna?'

'Voor mij persoonlijk niet, Trijn, maar wel voor het zoontje van Clazien Rouveen, de boerin van Zwickezicht.'

'De arme ziel,' reageert Trijn. 'Vroeger wilde ze niks van de jongens weten en uitgerekend zij trouwde met Siem Rouveen.'

'Wat wil je daarmee zeggen, Trijn?' wil Anna weten.

'Nogal wiedes dat zij kinderen krijgt die veel te groot en te zwaar voor haar zijn. Siem is een beer van 'n vent en Clazientje was een tenger meisje en daar is nog niet veel aan veranderd.' Het blijkt wel weer aan de uitlatingen van de daggeldersvrouw dat er niets in het dorp gebeurt wat aan de aandacht van de dorpelingen ontsnapt.

'Daar heb je gelijk in, Trijn, maar wel door alle ontberingen bij de laatste bevalling heeft Clazien niet voldoende melk voor kleine Thijs.'

'Ik heb zat!' zegt Trijn trots.

'Dat is me bekend en daarom ben ik hier, Trijn.'

'Hoe weet jij dat dan?'

'Van dokter Vredevoort. Hij vertelde dat jij meer dan voldoende melk voor je kleintje hebt en dat je misschien voor Thijsje van Clazien wat zou willen afkolven, want de dokter zweert bij moedermelk voor baby's. Daarin zitten volgens hem alle afweerstoffen die een baby nodig heeft.'

'Ja, ik weet dat de dokter er moderne opvattingen op na houdt.'

'Zou jij Clazien willen helpen, Trijn?'

'Natuurlijk, het arme schaap heeft het al zwaar genoeg

en de zorg van een huilende baby kan ze er, denk ik, moeilijk bij hebben.'

'Precies wat je zegt, Trijn. Dat is ook de reden dat ik de kleine Thijs wat bijvoeding van mezelf heb gegeven, maar dat wordt ook steeds minder.'

'Wat voor bijvoeding?' wil Trijn weten.

'Leentje, mijn zoontje, is al eenentwintig maanden en zeurt nog vaak om de borst en om hem zoet te houden geef ik hem zo nu en dan zijn zin maar. Toen ik merkte dat Thijs mijn borstvoeding harder nodig had dan Leentje, heb ik hem zelf aan de borst genomen, maar ook dat gaat nu niet meer.'

'Je moet het hem later maar eens onder de neus wrijven als het een volwassen boer is,' lacht Trijn.

'Dat zul jij ook kunnen doen als je gaat afkolven voor Thijsje.'

'Hem het onder de neus wrijven? Of ik dat zal doen weet ik nog niet, hoor! Een eenvoudige daggeldersvrouw kan zich niet veroorloven grapjes te maken met grote boeren, Anna.'

'Het zal zo'n vaart niet lopen, Trijn. Kun jij één keer per dag afkolven en kunnen we het dan ophalen?'

'Fietje kan het wel brengen. Ze is twaalf jaar en ze mankeert niks aan haar voeten.'

'Is dat je dochter?'

'Ja, mijn oudste. Het is een lief kind en ze is dol op kleine kinderen. De jongsten in ons gezinnetje hangen aan haar.'

'Je hoeft het niet voor niks te doen, hoor Trijn! Siem Rouveen zit er warmpjes bij.'

'Ik doe het niet voor het geld, hoor!'

'Dat weet ik wel, maar voor niets gaat de zon op. Clazien zal je erg dankbaar zijn en geloof maar gerust dat ze je dochtertje niet met lege handen zal laten vertrekken.'

'Als Pietje verzadigd is, zal ik morgen afkolven en komt Fietje het wel brengen.'

'Ik heb hier het flesje melk voor Thijs, juffrouw Rouveen,' zegt Fietje beleefd als ze bij Zwickezicht haar afgekolfde flesje moedermelk aflevert.

'Daar zijn wij en vooral Thijsje erg blij mee, Fietje,' zegt Clazien en ze aait het dochtertje van Trijn Koolhaas over haar hoofd. 'Jullie hebben thuis ook een baby'tje, hè?'

'Ja, dat is onze Pietje, maar als hij bij moeder gedronken heeft zit hij zó vol dat hij moet kokhalzen, dus hij komt niks tekort, hoor!'

'Dat zou ik ook niet willen, Fietje, maar ik vind het wel lief van je moeder, en van jou dat je ons de melk brengt die Pietje niet nodig heeft.'

'Mag ik Thijsje even zien?' vraagt Fietje.

'Ja, als hij wakker is en honger heeft mag jij hem straks zelf het flesje geven, maar we moeten het dan eerst even opwarmen.'

'Thuis geef ik de kleintjes nooit een flesje, want mijn moeder heeft ze altijd aan de borst.'

'Ik wou dat ik dat ook kon, maar ik heb niet voldoende melk en daarom ben ik zo blij dat jouw moeder wat over-heeft.' Clazien schaamt er zich een beetje voor, maar Fietje merkt het niet en is alleen maar blij met de lovende woor-den van de rijke boerin.

Anna heeft de helft van het gesprek opgevangen, en als ze merkt dat Thijsje wakker wordt, gaat ze het flesje op-warmen.

'Hier is Thijsje en hier is ook het flesje, Fietje,' zegt ze als ze de kleine uit zijn kribje gehaald heeft en het flesje heeft opgewarmd. Ze voelt nog even of het flesje niet te heet is en geeft het dan aan Fietje. Thijs heeft inmiddels een keel opgezet, want hij heeft kennelijk honger. 'Stop de speen maar in zijn mondje, Fietje, dan zal hij wel gauw stil zijn,' zegt Anna en ze krijgt gelijk. Gulzig ligt hij te zuigen en Fietje zit er met een vertederd gezicht naar te kijken.

'Hij vindt het wel lekker, hè?' zegt ze.

'Had je anders verwacht, Fietje?' vraagt Clazien lachend.
'Nee eh, nou ja...' hakkelt Fietje, 'de melk is natuurlijk niet van zijn eigen moeder.'
'Zo kieskeurig zijn die kleintjes niet, hoor!' lacht ook Anna. De twee vrouwen hebben schik in het meisje. Als Fietje dan ook vraagt of ze Thijsje de volgende keer weer zijn flesje mag voeren, knikken ze beiden gelijktijdig.

De weken verstrijken en er gebeuren geen bijzondere dingen. Toch merkt Anna wat vreemde trekjes bij de kleine Thijs. Toen zij kort na zijn geboorte aan de dokter vroeg of alles met de baby in orde was, heeft hij geknikt omdat hij in dat prille stadium niemand ongerust wilde maken. Wel had hij zijn bedenkingen en ook hij ziet wat vreemde trekjes bij Thijs. Hij weet dat het jongetje tijdens de geboorte dusdanig in de verdrukking heeft gezeten dat de hersentjes wellicht wat zuurstoftekort gehad hebben, waardoor de geestelijke gezondheid van het kind geschaad is. Bij zo'n klein kind is dat in zo'n vroeg stadium moeilijk vast te stellen.
Lichamelijk mankeert de kleine Thijs niets en zijn moeder knapt heel langzaam op. Ze kan na drie weken weer wat stapjes buiten de bedstee doen. Op advies van de arts heeft ze af en toe, zittend op de rand van het bed, wel haar benen laten bungelen. 'Dat is nodig voor een goede bloedsomloop, vrouw Rouveen,' zei hij dan. Maar dokter Vredevoort houdt niet alleen de boerin in de gaten, hij volgt ook met spanning de ontwikkeling van het kind. Zekerheid heeft hij nog niet, maar hij vreest dat de kleine bij de geboorte een fatale hersenbeschadiging heeft opgelopen.

Als Clazien zodanig hersteld is dat ze weer wat in huis kan rondscharrelen en hier en daar lichte werkjes kan doen, denken de bewoners van Zwickezicht dat het ergste leed geleden is. Op dat moment beseffen ze echter niet dat het ergste leed nu pas begint. Als dokter Vredevoort na ruggespraak met enkele collega-specialisten zekerheid heeft omtrent de geestelijke toestand van het kind, heeft hij bij zijn volgende visite een pijnlijke boodschap voor de familie.

'Wil jij de boer even binnenroepen, Jaan?' vraagt hij de meid. Jaan kijkt een beetje vreemd op van het verzoek van de dokter, maar zij doet wat hij vraagt en even later komen ze samen binnen.

'Dag dokter,' groet Siem de arts. 'Hebt u me ergens voor nodig of wilt u me wat vragen?'

'Ik heb je nergens voor nodig, Rouveen, en ik heb je ook niks te vragen, maar ik heb wel een nare boodschap voor jullie allemaal.'

'Is er iets niet in orde met Clazien, dokter?' vraagt Siem angstig. Met de anderen is hij al zo blij dat Clazien de laatste tijd de zware bevalling aardig te boven komt, maar misschien hebben ze te vroeg gejuicht.

'Je vrouw maakt het naar omstandigheden goed, Rouveen, maar ik maak me zorgen om Thijsje.'

'Om Thijsje?' Siem snapt er niets van en ook de anderen kijken de dokter vragend aan. 'Mankeert hij iets?' vraagt hij met een verbaasd gezicht.

'Ja, helaas heb ik moeten vaststellen dat je zoontje niet normaal is.'

'Lichamelijk of geestelijk?' vraagt Siem gespannen.

'Lichamelijk mankeert het kind niets, maar jullie zullen er rekening mee moeten houden dat Thijsje geen normaal leven zal kunnen leiden.'

'Is-ie achterlijk, dokter?' vraagt Siem en als de arts knikt, stort zijn wereld in. Nooit hebben zijn huisgenoten hem zo ontredderd gezien. Hij is ten prooi aan wanhoop en verdriet.

Ook Clazien verbergt haar gezicht in haar handen en huilt met gierende uithalen, maar dan slaat ze haar armen om Siem heen en probeert hem te troosten. Siem aait haar over haar hoofd en fluistert dat zij er niets aan kan doen. Hij spreekt het niet met zo veel woorden uit, maar het is wel duidelijk dat hij de schuld van het drama bij zichzelf zoekt.

Jaan zit stil te huilen aan de tafel. De ellende van de twee geboortes heeft ze meegemaakt, maar dit is erg. Als kleine Siem vroeger verdrietig was en de boerin geen tijd voor hem had, trok ze de kleine jongen op haar knie en troostte hem. Troost heeft hij nu ook nodig, maar gelukkig is Clazien er. Haar verdriet is even groot, maar bij het zien van haar ontredderde man kan zij niets anders doen dan haar eigen leed wat onderdrukken en hem bemoedigende woordjes toefluisteren, maar ze dringen nauwelijks tot Siem door. Weg is zijn trots dat er later weer een Rouveen als boer op Zwickezicht de scepter zal zwaaien. Weg zijn alle andere verwachtingen voor de toekomst. Zijn zoontje is achterlijk!

Hij herinnert zich dat er vroeger twee achterlijke jongetjes in het dorp woonden. Als hij naar school ging met zijn kameraden en ze passeerden het huis van zo'n stumper, dan keken zij door de ramen naar binnen en trokken gekke bekken. Als het 'slachtoffer' dan naar buiten kwam, werd hij danig in de maling genomen. Is dit het voorland voor zijn kind?

Als Anna komt en hoort wat de dokter gezegd heeft, is ook zij erg verdrietig. Al jaren leeft ze mee met het wel en wee van de bewoners van Zwickezicht, maar deze boodschap van de dokter is erger dan alles wat er zich voorheen heeft voorgedaan. Als betrekkelijke buitenstaander is het haar taak het boerenstel en Jaan moed in te spreken. De enige die er niets van begrijpt en alleen maar gek is op haar kleine broertje, is Rietje. Ze giert het uit als Siem haar optilt en tegen zich aan drukt, maar ze is vervolgens teleurgesteld dat hij niet met haar dolt en lacht.

Nee, het lachen is Siem Rouveen vergaan. Hij kijkt nu met heel andere ogen naar de kleine Thijs, maar als hij ziet hoe liefdevol de anderen met de baby omgaan, kan hij niet achterblijven.

'Probeer niet alle kleine afwijkingen op te sporen, Siem,' zegt Anna, 'maar geniet van Thijsje. Het is best een levendig ventje, en laten we kijken wat hij straks allemaal kan in plaats van te letten op de dingen die hij niet kan.' Anna heeft wat ervaring op dat punt, want een nicht van haar heeft ook een achterlijk zoontje, dat nu acht jaar is. Hij heeft het verstand van een kind van drie, maar iedereen is, misschien juist daardoor, gek op hem.

De boodschap van de dokter is op Zwickezicht ingeslagen als een bom. Siem loopt met een somber gezicht rond en Clazien heeft door alle leed een terugslag gekregen. Jaan en Anna zijn er als voorheen om de zaak draaiende te houden. De knecht, Jaap Groot, probeert zijn baas wat op te beuren, want ook hij en zijn vrouw Aagd leven met het boerenstel mee. Net als Jaan door de boerin, is Jaap door de oude boer van Zwickezicht aangenomen. Ook hij heeft Siem als kind meegemaakt. De band tussen hen beiden is hecht gebleven. Aan de jonge boer heeft Jaap een beste baas.

'Als ik mijn best niet doe Siem een beetje op te beuren, gaat hij steeds somberder kijken,' vertelt Jaap zijn vrouw Aagd als hij 's middags aan de prak zit.

'Het is ook geen kleinigheid wat die jongen allemaal moet meemaken,' vindt Aagd en Jaap is het met haar eens. 'Vroeger gaf ik hem een babbelaar als hij verdrietig was, maar nu weet ik echt niet meer wat ik moet doen om hem een beetje op te vrolijken,' zucht Aagd.

Ondanks alle ellende gaat het leven op Zwickezicht gewoon door. De klap is hard aangekomen, maar op een boerderij is er weinig tijd om bij de pakken te gaan neerzitten. Zo gaan de eerste weken en maanden na de onheilstijding van de huisarts voorbij en dan vindt de laatste het nodig eens een hartig woordje met de boer te praten. Langer wachten kan niet, want als de boerin weer helemaal gezond is, dan zou de jonge boer de voorzichtigheid weleens uit het oog kunnen verliezen.

'We moeten eens praten, Rouveen,' zegt hij dan ook bij zijn volgende visite. Tot zijn genoegen, maar enigszins tot zijn verontrusting, is de boerin er alweer aardig bovenop. Een sterke gezonde vrouw zal zij waarschijnlijk nooit worden, maar ze is nu beter dan hij verwacht had en, paradoxaal genoeg, baart hem dat toch zorgen.

'Over Thijs, dokter?' vraagt Siem, maar Vredevoort schudt zijn hoofd.

'Nee, Rouveen, ik wil het hebben over jouw omgang met je vrouw. Tot mijn verrassing is haar conditie nu beter dan ik verwacht had, maar dat baart mij ook zorgen.'

'Zorgen?' Siem kijkt de arts met een vragend gezicht aan.

'Ja, zorgen, Rouveen. Ons gesprek over vruchtbare en onvruchtbare perioden van je vrouw zul je zeker nog niet vergeten hebben, maar met mijn advies heb je niets gedaan, met alle gevolgen van dien.'

'U hebt me geadviseerd er met Clazien over te praten, maar over zoiets praat je toch niet met je vrouw. In mijn omgeving heb ik niemand er ooit over horen praten.'

'Nee, je praat nergens over en slaat mijn adviezen in de wind, maar ondertussen krijg je de gevolgen voor je kiezen,' zegt de arts nijdig. 'Mocht je haar nog eens zwanger maken, weet dan dat ze het waarschijnlijk niet zal overleven.'

De woorden van de huisarts komen bij Siem hard aan en deemoedig buigt hij zijn hoofd. 'Ik zal haar voortaan ontzien, dokter,' zegt hij zacht.

'Doe dat, Rouveen, tot ziens!' Dokter Vredevoort beent met grote stappen weg en bedankt Jaap Groot, die de deken weghaalt die Siem op het paard gelegd heeft om het beest tegen de kou te beschermen. Voor de beesten zijn de boeren zorgzamer dan voor hun eigen vrouw, gaat het door hem heen.

'Je ziet nog niet echt aan Thijsje dat hij niet helemaal normaal is, hè?' Het is Jaan die de opmerking maakt en Clazien is het wel met haar eens. Ze heeft zelfs een flinterdunne hoop dat het gebrek van haar jongetje vanzelf overgaat. Ze gelooft het zo graag! Maar het is een verwachting tegen beter weten in, want de wens is hier wel duidelijk de vader van haar gedachten. Ze kan die gedachten zelfs niet voor zich houden en praat er met Siem over, maar die schudt zijn hoofd.

'Als er ook maar een kleine kans zou zijn dat Thijs er overheen groeit, dan had de dokter het ons zeker verteld, Clazien. We moeten het accepteren en ervoor zorgen dat zoiets vreselijks ons niet nog een keer overkomt.'

Hoewel Clazien bijna zeker weet dat de dokter indringend met haar man gesproken heeft, wil zij niet vragen hoe ze ervoor zouden kunnen zorgen.

Siem voelt zelf wel aan dat hij wat duidelijker tegenover Clazien zou moeten zijn, maar wederom vindt hij het ontzettend moeilijk er met haar over te praten. Intieme momenten beleef je samen, maar je praat er niet over. Toch zal hij Clazien moeten vertellen waarom hij haar nu en in de toekomst zal ontzien. Maar hoe doe je dat? Alle ellende van de laatste maanden, zelfverwijt en de harde woorden van de dokter hebben hem zijn driften doen vergeten. Nu Clazien weer veel beter is en zacht aanvoelt in de bedstee, kan hij zich nauwelijks beheersen, maar het moet.

'Kun je niet slapen, Siem?' vraagt Clazien als ze merkt dat haar man maar ligt te draaien.

'Het gaat wel, hoor!' reageert Siem, maar Clazien denkt daar anders over.

'Scheelt je iets, jongen?'

'Het laatste gesprek met de dokter zit me erg dwars, Clazien,' moet Siem bekennen.

'Waar ging dat gesprek dan over?'

'Ik vind het zo moeilijk erover te praten, meisje.'

'Doe het toch maar, Siem, Ik merk dat je ligt te piekeren en je moet slapen, want je hebt je rust hard nodig.'

'Jij ook en ik houd je maar uit de slaap met m'n gedraai.'

'Ging het soms weer over die vruchtbaarheid en zo?'

'Ja, de dokter vindt dat ik zijn adviezen in de wind geslagen heb en wees me hard op de gevolgen daarvan.'

'Voor de gevolgen zijn we samen verantwoordelijk, jongen.'

'Maar die gevolgen kunnen heel dramatisch zijn, vrouw. Als ik jou nog een keer zwanger maak, zul jij dat volgens de dokter waarschijnlijk niet overleven.'

'Zei hij dat?' schrikt Clazien.

'Ja, en ik geloof hem. Ik zal je voortaan ontzien, meisje, en jij moet me daar maar bij helpen.'

'Je afwijzen?'

'Ja.' Siem draait zich op zijn andere zij en Clazien merkt dat zijn schouders schokken. Zij is er stil en kapot van, hoewel zij weet dat de dokter gelijk heeft. Maar ze heeft medelijden met haar man, want ze weet ook dat onthouding voor hem, als hartstochtelijk minnaar, erg moeilijk zal zijn.

HOOFDSTUK 3

Anna Bovenkamp is niet meer nodig als hulp op Zwickezicht, want Clazien is inmiddels zo ver hersteld van haar zware bevalling dat ze het werk samen met Jaan wel aankan.

Thijs groeit flink en hoeft overdag niet meer in het kribbetje achter in de bedstee te blijven. Hij mag spartelen in de box.

'Kijk nou eens,' verbaast Jaan zich en ze roept Clazien. 'Zie je wat ik zie, Clazien?' vraagt ze lachend als ze de kleine Rietje op een stoel ziet klimmen.

'Ongelooflijk!' roept nu ook Clazien enthousiast. 'Dat moet Siem zien.' Maar als ze haar man wil roepen, blijkt hij achter in de polder bezig te zijn met de reparatie van een hek waar de schapen dreigen door te kruipen.

'Die krengen vinden het gras bij de buren altijd lekkerder dan bij ons,' moppert hij als hij terug op Zwickezicht is.

'Niet mopperen, Siem,' zegt Clazien. 'Onze Rietje klom vandaag op een stoel.'

'En Thijs?' wil Siem weten. Clazien is een beetje nijdig dat haar man niet ook enthousiast reageert op de vorderingen van hun dochtertje. Bij deze en dergelijke gelegenheden merkt ze dat hij het gebrek van kleine Thijs nog niet verwerkt heeft. Het lijkt wel of hij er gewoon niet aan wil dat hij een achterlijk zoontje heeft.

'Ik heb het over Rietje, Siem,' reageert Clazien en aan haar gezicht te zien is ze duidelijk geïrriteerd door de vraag van haar man. Siem merkt het en verontschuldigt zich.

'Ja, over Rietje hoeven we ons geen zorgen te maken, die is zo vlug als water.' Siem spreekt het niet uit, maar hij zou willen dat ze zich ook geen zorgen om kleine Thijs zouden hoeven maken, maar dat is een vrome wens. Als ze hem vergelijken met Rietje toen die even oud was, zie je duidelijk het verschil.

Naar de opvatting van Clazien benadrukt Siem dat te veel. Ze vindt dat hij meer moet letten op de overeenkomsten dan op de verschillen. Evenals Rietje is Thijs lichamelijk zo gezond als een vis en is hij altijd vrolijk. Natuurlijk zet hij een keel op als hij honger heeft, maar overigens is het een heel zoet en lief ventje.

Ze mist Anna, want met haar kan ze zo fijn over dit soort dingen praten. Jaan is zorgzaam en lief, maar voor een diepgaand gesprek is zij niet de juiste persoon. Dokter Vredevoort heeft tevreden geknikt bij zijn laatste visite aan Zwickezicht, maar hij vindt wel dat ze niet te veel binnen moet zitten. 'Ga af en toe maar een eindje lopen,' adviseert hij. 'Koop desnoods een kinderwagen en neem Thijsje mee. Kleine kinderen vinden het fijn gereden te worden in een enigszins schommelende kinderwagen.'

Clazien heeft het advies van de dokter opgevolgd en een fraaie kinderwagen op hoge wielen aangeschaft. Alleen het dienstmeisje van de notaris rijdt af en toe met zo'n wagen rond, maar voor de rest kom je ze in het dorp niet tegen. Gewone mensen kunnen zich zo'n dure aanschaf ook niet permitteren, maar Clazien geeft geen krimp.

Haar eerste ritje maakt zij naar de tuinderij van Henk en Anna Bovenkamp.

'Clazien!' roept Anna verbaasd als ze de boerin van Zwickezicht met een glanzende kinderwagen voor de deur ziet staan. 'Jij doet niet minder, zeg!'

'Advies van de dokter, Anna,' lacht Clazien om het verbaasde gezicht van haar steun en toeverlaat. 'Ik moet wandelen in de buitenlucht en volgens hem vinden kinderen het in een schommelende kinderwagen erg fijn.'

'Het pad hierheen zit vol kuilen, dus schommelen zal de wagen zeker,' meent Anna en Clazien knikt.

'Schokken doet de wagen niet, hoor!' verzekert ze Anna. 'Heb je de vering gezien?'

'Ja, het is een mooi wagentje en met de kap op heeft de kleine ook geen kou, maar een dergelijke luxe kan ik me niet permitteren, Clazien.'

'Gaat het niet goed met de tuinderij, Anna?'

'Om deze tijd van het jaar zijn de kosten hoger dan de opbrengsten, Clazien. Daarbij komt dat ik ook geen cent meer inbreng. Henk klust hier en daar wat bij, en als er bijvoorbeeld door ziekte of een ongevalletje een boerenknecht een tijdje uitvalt, neemt Henk graag zijn plaats in. Met twee kleine kinderen is het geen vetpot, Clazien. Maar laat ik je niet vermoeien met mijn geklaag. Je komt hier tenslotte voor een gezellig praatje en ik zadel je op met mijn problemen.'

'Geeft niet, hoor! Jij hebt lang genoeg mijn problemen moeten aanhoren. Je zegt dat Henk af en toe wat bijklust. Is dat niks voor jou?'

'Hoe bedoel je dat?'

'Als ik me goed herinner was jij altijd goed met naald en schaar.'

'Of ik goed was moet een ander maar beoordelen, maar ik kon er aardig mee overweg en bovendien had ik de beschikking over een naaimachine.'

'Nu niet meer?'

'Jawel, mijn overleden zuster heeft hem aan mij nagelaten en hij staat op zolder. Af en toe gebruik ik hem nog wel.'

'Zou je er wat meer gebruik van willen maken door voor anderen naaiwerk te doen?'

'Wonderlijk dat je dat vraagt, Clazien. Mijn moeder adviseerde me vroeger goed te leren naaien, zodat ik er eventueel later mijn boterham mee zou kunnen verdienen.'

'Jouw moeder had een vooruitziende geest, Anna.'

'Maar hoe kom ik aan naaiwerk?'

'Je zet gewoon een oproep in ons blaadje, de *Dorpsbode*, dat eens in de maand verschijnt en ik zal je aanbevelen. Trouwens, leeftijdgenoten van ons kennen jouw bedrevenheid op dat gebied.'

'Zou je denken dat het wat oplevert?'

'De eerste opdracht krijg je van mij, want ik heb nog wat achterstallig naaiwerk.'

In het vooruitzicht dat ze wellicht weer wat zal kunnen bijdragen in de verzorging van haar gezinnetje fleurt Anna helemaal op. 'Je hebt me een goede tip aan de hand gedaan, Clazien, want zelf zou ik er nooit op gekomen zijn.'

Drie weken na het gesprek tussen Anna en Clazien komt de *Dorpsbode* uit met de volgende advertentie:

Al uw naaiwerk wordt vakkundig verzorgd door
ATELIER BOVENKAMP
Vaartweg 3, ZWICKEDORP

Clazien moet lachen om het woord 'atelier', dat is echt iets voor Anna. Zoals afgesproken wijst ze bevriende boerinnen persoonlijk op de advertentie en na enkele dagen krijgt Anna al opdrachten. Vooral tijdens de wintermaanden, waarin ook het boerenwerk op een laag pitje staat, zijn haar verdiensten meer dan welkom. De oude naaimachine heeft ze door iemand die er verstand van heeft, na laten kijken en nu snort die weer als vanouds als ze haar opdrachten uitvoert.

Henk Bovenkamp is niet alleen een goed tuinder, maar hij is ook erg handig bij het klussen. Die laatste vaardigheid heeft hem enkele winstgevende klusjes opgeleverd en met de verdiensten van Anna erbij komen ze de winter aardig door. Hun stemming wordt er erg positief door beïnvloed en dat merken vooral de kinderen Gerrie en Leentje. Gerrie gaat sinds kort naar school, maar Leentje dribbelt op de tuin en in huis het liefst achter zijn vader aan. Vader Henk dolt met hem tot hij schatert van het lachen.

'We hebben niet veel geld,' zegt Anna weleens, 'maar we hebben gelukkig twee gezonde kinderen en dat kunnen Siem en Clazien met al hun rijkdom niet zeggen. Bovendien begint Clazien, na een periode waarin haar gezondheid steeds beter werd, nu weer te kwakkelen.'

'Weet je wat het beste is, vrouw?' vraagt Henk lachend.

'Nou?'

'Dat je gezond bent, gezonde kinderen hebt en bovendien een flinke bom duiten.'

'Hèhè, jij wilt de hemel op aarde. Zo kan ik er nog wel een paar verzinnen!' Anna schudt haar hoofd, maar ze is wel blij dat Henk weer kan lachen. Hij zat een tijdje in de put, maar dat was wel tegen zijn natuur. Van huis uit is het een vrolijke kerel.

Dat is Siem Rouveen ook, maar het zit hem niet mee. Hij kan aan het gebrek van Thijs nog steeds niet wennen en nu begint Clazien ook weer te kwakkelen. Hij rekende er vast op dat zij na de winter, waarin het haar goed ging, tegen het voorjaar nog verder op zou knappen, maar het tegendeel is waar. Ze is 's avonds moe van het vele werk op de hoeve en dat werk neemt in het voorjaar alleen maar toe. Daar maakt Jaan zich ook zorgen om. Zij neemt de boerin het zware werk zo veel mogelijk uit handen, maar de jaren beginnen bij haar ook te tellen en zij zou wel willen dat Anna weer zou kunnen bijspringen. Ze praat erover met Clazien.

'Anna?' Clazien trekt een bedenkelijk gezicht. 'Misschien kunnen we in mei beter een flinke jonge meid aantrekken.'

'Vind je Anna niet meer geschikt?' Jaan kan het zich niet voorstellen.

'Anna is de beste van allemaal, Jaan, en ze zou misschien nog wel willen ook, maar ik heb daar wat moeite mee.'

'Waarom dan? Naar mijn mening kan ze de extra verdiensten goed gebruiken.'

'Je weet toch dat Anna tegenwoordig naaiwerk aanneemt?'

'Ja, dat weet ik. We hebben samen nog gelachen om het woord "atelier" in de advertentie in de *Dorpsbode*, maar verdient ze daar voldoende mee?'

'Ik hoorde van bevriende boerinnen dat die heel tevreden zijn met het werk dat ze aflevert. Ik heb haar zelf de tip aan de hand gedaan en nu vind ik het niet passen haar weer voor mijn eigen karretje te spannen.'

'Maar stel dat ze het zelf wil? Dan zou ze voorlopig toch alleen de ochtenden kunnen komen, zodat ze 's middags haar naaiwerk kan doen.'

'Als je wilt weten hoe Anna erover denkt, dan ga je het haar zelf maar vragen, Jaan.'

'Kom binnen, Jaan!' zegt Anna als ze de eerste meid van Zwickezicht voor de deur ziet staan. 'Het komt ook niet alle dagen voor dat jij bij mij op visite komt.'

'Ik kom niet echt op visite, Anna, maar ik kom je wat vragen.'

'Vragen staat vrij, Jaan, maar ik zal eerst even thee zetten. Je hebt toch wel even de tijd?'

'Niet veel, Anna, want het begint alweer drukker te worden op de hoeve.'

'Hoe komt dat?'

'Eerlijk gezegd komt het doordat er niet meer zo veel werk uit Claziens handen komt. Ze is weer gaan kwakkelen.'

'De ziel. En jij moet zorgen dat het werk aan kant komt.'

'Precies en dat wordt me steeds zwaarder. Ik ben tenslotte ook geen twintig meer.'

'Wacht even, Jaan, het water kookt, ik schenk even de thee op.' Terwijl Anna met de thee in de weer is, kijkt Jaan wat rond en ze ziet in een hoek van de kamer een mand met verstelgoed staan. Ze gunt Anna veel bijverdiensten met het naaien, maar ze hoopt wel dat ze wat tijd overheeft om haar te assisteren op de hoeve.

'Terwijl de thee trekt vertel jij me maar wat je van me weten wilt, Jaan.'

'De vraag die ik heb heeft te maken met het werk op de hoeve en de toestand van Clazien. We hebben een hulp nodig, en omdat jij druk bent met je naaiwerk stelt Clazien voor een stevige jonge meid aan te trekken.'

'Druk met het naaiwerk, zeg je, maar ik heb er geen dagtaak aan, hoor!'

'Dat hoopte ik al,' zucht Jaan.

'Gun je het me niet?' lacht Anna, maar ze voegt er meteen aan toe dat ze dat niet echt verwacht.

'Ik gun je al het goede, Anna, maar eerlijk gezegd mezelf ook een beetje. Met een jonge meid heb ik geen enkele ervaring, maar met jou heb ik altijd zo fijn gewerkt. Zou jij 's morgens willen komen en dan 's middags thuis je naaiwerk doen?' Jaan kijkt de tuindersvrouw verwachtingsvol aan.

'Niks liever dan dat, Jaan!'

'Meen je het?'

'Wis en waarachtig meen ik het. Zelfs met het naaiwerk erbij is het nog steeds geen vetpot, want in de winter is er voor Henk op de boerderijen ook niet veel te doen en we moeten geld oversparen om straks het poot- en zaaigoed te kunnen betalen.'

'Wanneer zou je kunnen beginnen, Anna?'

'Volgende week als het moet.'

'Dan zie ik je maandagochtend, Anna. Ik zal het Clazien

zeggen.' Jaan is opgelucht dat haar missie geslaagd is, en als de thee op is, gaat ze vlug terug naar Zwickezicht om Clazien van het goede nieuws op de hoogte te brengen.

'Gerrie zit op school en Leentje heb ik maar meegebracht, dan kan hij spelen met Rietje,' zegt Anna als ze die maandagmorgen op Zwickezicht komt. Clazien en Jaan begroeten haar hartelijk en Rietje staat te dansen van blijdschap omdat 'tante Anna', zoals ze de tuindersvrouw noemt, een speelkameraadje voor haar meegebracht heeft. Rietje en Leentje kennen elkaar al een poos, maar nu zijn ze wat groter dan bij de eerdere keren dat Anna kwam helpen. Ja, Rietje is echt in haar nopjes. Ze probeert vaak te spelen met Thijs, maar dat lukt niet zo best. Thijs is lief, maar als hij alleen maar lacht en verder niets onderneemt, is voor haar de lol er gauw vanaf.

Leentje legt steeds een blokje op Thijsjes buikje. Dat vindt Thijsje leuk en hij schatert het uit van het lachen, waardoor het blokje eraf rolt.

Clazien komt even kijken waarom haar jongetje zo'n lol heeft en als ze dan ziet dat Leentje zo lief met hem speelt, krijgt zij een brok in haar keel. Ze gaat warme chocolademelk voor de kinderen maken, want ze weet van Anna dat kleine Leentje daar gek op is. Zij gunt het hem, want hij heeft door zijn spel met Thijsje haar hart gestolen.

Er gaan maanden voorbij zonder dat er veel verandering komt in de lichamelijke toestand van Clazien. Ze is niet echt ziek, maar ze kan toch niet veel hebben. Vanaf de tijd dat ze een jong meisje was, is ze een soort kasplantje, zoals Anna het noemt. Geen slechte vergelijking voor een tuindersvrouw en ze weet dan ook dat je die goed moet verzorgen. Dat doet ze dan ook samen met Jaan. Zij nemen het zware werk voor hun rekening, zodat Clazien zich nuttig kan maken met de wat lichtere werkjes, die er op een hoeve ook voldoende zijn.

Anna heeft zich zo langzamerhand een vaste plek op Zwickezicht veroverd, want noch Clazien noch Jaan wil haar meer kwijt. Ook Siem is best tevreden met de hulp van Anna. Hij kan er niets aan doen dat hij zijn ogen niet van haar af kan houden. Ze is achter in de twintig en een knappe, aantrekkelijke vrouw. Hij begrijpt eigenlijk niet hoe het komt dat het gezinnetje van Anna en Henk Bovenkamp slechts twee kinderen telt. Hij waakt er echter voor Anna iets te laten merken en vragen over haar kleine gezinnetje houdt hij dan ook wijselijk achter z'n kiezen. Zelf houdt hij zich strikt aan de opdracht van de dokter en hij ontziet Clazien, maar het valt hem wel zwaar. Hij denkt dat Anna niks in de gaten heeft, maar zijn begerige blikken ontgaan haar niet. Maar het blijft daarbij. Nooit valt hij haar, op welke manier dan ook, lastig. Zij begrijpt dat de jonge boer het zwaar heeft met een ziekelijke vrouw die hij op advies van de dokter moet ontzien. In vertrouwelijke gesprekken heeft Clazien haar er weleens iets over verteld.

De tijd staat niet stil. Op 4 juli is Rietje jarig en wordt ze twee. Ze staat te springen van enthousiasme als ze van vader Siem een jong konijntje krijgt. Hij wil zijn kind al vroeg de zorg voor dieren bijbrengen. In de schuur heeft hij een hoekje voor het beestje afgeschermd en hij heeft zijn dochtertje opgedragen goed voor het beestje te zorgen. Dat doet ze dan ook op haar eigen kinderlijke manier, waarbij ze geassisteerd wordt door Leentje. Clazien neemt Thijsje op de arm mee om hem het konijntje te laten zien. Als Rietje hem een worteltje in zijn hand drukt, wil hij dat eerst zelf opeten, maar Rietje beduidt hem dat hij het aan het konijntje moet voeren. Hij doet het en stoot enthousiaste kreetjes uit. Leentje en Rietje hoort hij samen praten, maar hij kan er niet aan meedoen. Het konijntje zegt niets en dat vindt Thijs prachtig. De dokter vindt het minder mooi. Hij drukt de ouders op het hart dat ze moeten proberen de kleine jongen woordjes te leren, zodat hij zich verstaanbaar zal kunnen maken.

'Maar denkt u dat hij die woordjes kan leren, dokter?' vraagt Clazien verbaasd. Ze had zich er al bij neergelegd dat haar kind stom door het leven zou moeten gaan, maar dat is blijkbaar anders.

'Uw kind is achterlijk, maar niet gek, vrouw Rouveen,' verzekert de arts haar. 'U moet natuurlijk wel veel geduld met hem hebben, want een vlotte leerling zal Thijsje zeker niet zijn.'

Clazien kwijt zich vervolgens met verve van haar taak en ze is enthousiast als ze na maanden een klein succesje boekt. Van de dokter heeft ze gehoord dat klanken vóór in de mond het makkelijkst te leren zijn voor een peuter, zoals het woordje 'papa'. Na eindeloos oefenen en door te wijzen op een foto van Siem heeft Thijs eindelijk door wat de bedoeling is. In het begin had hij geen benul van wat er van hem verwacht werd, maar toen lukte het plotseling.

'Luister Jaan, hij zegt duidelijk "papa".'

Aangestoken door haar enthousiasme probeert Jaan het af en toe ook. Ze wijst dan op zichzelf en zegt 'Jaan' en waarachtig, na een poosje produceert Thijs een klank die er erg op lijkt. Wat later zegt hij duidelijk 'Jaan' en dan springen bij de meid de tranen in de ogen.

Na het succesje van Jaan wisselen de twee vrouwen elkaar af en het gaat steeds beter. Met het woord 'Rietje' heeft Thijs erg veel moeite, maar dat is logisch, want ook normale kleine kinderen hebben moeite met de 'r'. Thijs komt dan ook niet verder dan 'ietje', maar kleine Rietje vindt het allang prachtig. Ze ontpopt zich vervolgens als 'schooljuf in de dop' en als Leentje komt doet hij ijverig mee. Zelfs Siem lacht als Thijs duidelijk 'papa' zegt als hij op zichzelf wijst.

Van dokter Vredevoort krijgen ze complimenten als hij

langskomt. 'Ik ben ervan overtuigd dat Thijs verstaanbaar zal leren praten, want hij combineert de foto van zijn vader met zijn vader in levenden lijve. Dat is een sprong vooruit, mensen!'

Vooral Clazien is blij met de lovende woorden van de arts en ze gaat dan ook stug door met haar 'spraaklessen'.

Seizoenen komen en seizoenen gaan. Elk jaargetij heeft zijn eigen bekoring. Clazien houdt vooral van het voorjaar. Als het weer het toelaat zit zij achter de hoeve op de grote bank, die in de zomer plaats biedt aan de harde werkers, die dan, onder het genot van een kop koffie of thee, even kunnen uitblazen. Ze kan intens genieten van het ontluikende groen rondom de hoeve. Vooral de bloeiende vruchtbomen in de boomgaard vindt zij schitterend, maar ook de activiteiten van de vogels, die omstreeks die tijd hun nest met jongen hebben. In het vroege voorjaar heeft ze gezien hoe druk de vogels in de weer waren om een goed nest te bouwen. Lijsters maken hun nest stevig met modder uit de slootkant, maar de echte 'metselaars' zijn toch de zwaluwen. Ze plakken als het ware hun nest onder de dakgoot en laten aan de voorkant een gaatje open waardoor zij in en uit kunnen vliegen. Als de jongen uit het ei gekropen zijn, hebben ze maar één behoefte en dat is eten.

Niet ver van de bank heeft Siem een nestkastje aan een boom gespijkerd. Daarin nestelt een koolmeesje. De ouders vliegen af en aan met eten voor hun jongen en steevast verlaten ze het nest met een wit keuteltje in de snavel. Clazien vergelijkt het gezinnetje lachend met een mensengezin.

In de sloot naast de boomgaard zwemt een eend met een hele rits kuikens achter zich. De gele 'donsballetjes' happen links en rechts naar vliegjes en andere insecten, maar als moedereend gevaar ziet, maakt zij een speciaal geluid en spurten de kleintjes vliegensvlug achter haar aan. Wonderlijk vindt Clazien het dat die kleine beestjes, die nog maar net uit het ei gekropen zijn, zelf hun kostje moeten op-scharrelen en al een snelle spurt kunnen inzetten als ze horen dat er gevaar dreigt.

Maar het zijn in de natuur niet alleen de jonge eendjes die zo voortvarend zijn, ook de lammetjes die vroeg in het voorjaar geboren zijn, kunnen er wat van. Zwickezicht heeft een hele kudde schapen en vanaf begin maart komen de eerste lammetjes. Daarna volgen er dagelijks meer, zodat het al vlug dringen wordt op het afgepaalde stukje land achter de hoeve. Wonderlijk is het te zien dat elke ooi haar eigen lam tussen de tientallen andere beestjes herkent. Als ze een bepaald geluid laat horen, weten de lammetjes dat er gedronken kan worden, maar dan wel op het juiste 'adres'. Voor alle zekerheid ruikt moederschaap onder het staartje van de kleine en dan is het goed. Het staartje draait als een propellertje rond en af en toe maakt het lam sto-tende bewegingen tegen de uier om die te stimuleren tot af-gifte van meer melk. Tot moeder het genoeg vindt en dan loopt ze door.

'Ik dacht dat je in slaap gevallen was,' zegt Siem als hij zijn vrouw achter de hoeve ziet zitten.

'Nee hoor! Het is hier veel te mooi om te slapen. Ik let op de vogels. Dankzij jouw timmerwerk heeft een kool-meesje een plaatsje voor haar kleintjes gevonden.'

'Bedoel je dat kastje tegen die boom?'

'Ja, door het kleine gaatje vliegt het meesje er met voed-sel in en het komt er met een drolletje uit.'

'Echt?' Siem moet er een beetje om lachen. 'Ik heb te weinig tijd om op al die dingetjes in de natuur te letten, Clazien. Geniet jij er maar fijn van, want hier op de bank zit je goed en het mooie weer komt je gezondheid ten goede.'

Buiten is het mooi en vol leven, maar binnen is het wat rustiger geworden sedert Rietje voor het eerst naar school is. Op de eerste dag is Clazien met haar meegegaan en heeft ze kennisgemaakt met juf Marja Collée aan wier zorgen de kleintjes worden toevertrouwd.

Leentje Bovenkamp zit al op school. Omdat het een kleuterschooltje is zitten ze beiden in hetzelfde lokaal en Rietje wil per se naast hem zitten, maar de juf maakt haar lachend duidelijk dat dat niet gaat. Mokkend geeft ze zich gewonnen. 'Een bijdehandje,' vertrouwt de juf Clazien toe.

Als de schooldag erop zit, gaat Rietje samen met Leentje en Gerrie terug naar de tuinderij. Vandaar loopt ze alleen naar huis, want dat paadje heeft ze al tientallen keren gevolgd als ze bij Leentje was wezen spelen.

Thuis treft ze voor de zoveelste keer Thijs in tranen aan. Hij kan nog steeds niet begrijpen waarom Rietje nu iedere dag weg is. Het is moeilijk het hem aan het verstand te brengen. Zelf zal hij nooit naar school gaan. Hij kan zich inmiddels wel enigszins verstaanbaar maken, maar over het algemeen brabbelt hij maar wat onsamenhangende zinnen en hij klampt zich aan zijn zusje vast uit angst dat ze meteen weer zal vertrekken. Ze slaat dan haar armpjes om hem heen en verzekert hem dat ze tot morgenochtend thuis zal blijven. Begrip van tijd heeft Thijsje niet, maar de zachte stem van Rietje kalmeert hem een beetje.

Ook Clazien stelt hem gerust. Ze heeft met haar jongetje te doen, maar hij zal er toch aan moeten wennen dat Rietje naar school moet. Het gevolg is wel dat hij zich meer en meer aan haar vastklampt en als zij niet in de buurt is aan Jaan.

De eerste meid is als een tweede moeder voor hem. Als Clazien overdag wat gaat rusten, houdt zij hem bezig. Hij mag haar helpen bij karweitjes die hij leuk vindt. Als zij het straatje boent, mag hij de emmer water omgooien. Ze zorgt er dan wel voor dat de emmer maar voor een kwart gevuld is, want anders is die te zwaar voor zo'n ventje.

Er is nog iemand die een belangrijke plaats in het leven

van kleine Thijs inneemt en dat is Aagd Groot, de vrouw van de vaste knecht Jaap Groot. In het kleine daggeldershuisje is Thijs altijd welkom. Ook Aagd heeft haar hart op de goede plaats en heeft te doen met de stumper. Uit zijn gebrabbel kan ze niet veel wijs worden en ze houdt hem dus maar bezig met lekkere zoete thee en daar krijgt hij dan een halve babbelaar bij. Ze is erg handig in het doormidden breken van de harde babbelaar. Ze klemt hem tussen de rand van het deksel en het snoeptrommeltje zelf, dan drukt ze hard en knapt het snoepje. Thijs geniet dan van zijn zoete thee en zit met een verheerlijkt gezicht op de babbelaar te zuigen.

'Het ken wel niet lije, maar afain, een blikkie babs in huis is nôit weg,' zegt Aagd dan om deze weelderige traktatie midden in de week voor zichzelf te rechtvaardigen.

De eerste schooljaren van Rietje gaan zonder veel bijzonderheden voorbij. Ook op Zwickezicht verandert er niet veel. Bij Clazien is het een beetje vallen en opstaan. Zo kan ze er weer aardig tegenaan en zo vervalt ze weer in haar oude kwaal. Gelukkig gaat het de laatste tijd een beetje beter en is de hulp van Anna niet meer iedere dag nodig. Als zij niet op Zwickezicht is, benut ze haar tijd met naaien, want haar reputatie op dat gebied heeft ze voldoende bevestigd. Haar twee kinderen zitten op school, dus voor hen hoeft ze geen opvang meer te regelen. Gerrie heeft haar schooltijd er bijna op zitten en zal haar dan ook veel werk uit handen kunnen nemen. Om al een dienstje voor haar dochtertje te zoeken, stuit haar tegen de borst. Zolang het niet echt nodig is, kan ze thuis helpen en heeft zijzelf haar handen vrij om de spaarpot wat te vullen. Het is de goede tijd van het jaar voor de tuin, want na het zaaien en poten is de tijd van oogsten aangebroken en dat levert geld op. Wekelijks gaat Henk met een schouw groenten naar de veiling en hij beurt een aardig centje, tenminste, als de groente niet doorgedraaid wordt, want dat is het angstbeeld van elke tuinder.

Als Rietje negen jaar wordt, nodigt ze haar vriendinnen uit, maar ook haar vriendje Leen Bovenkamp. Nog steeds kunnen ze het samen goed vinden. Elke schooldag gaan ze samen op pad en ze komen ook samen weer terug als de lessen er voor die dag op zitten.

Van Siem heeft Clazien begrepen dat hij de innige omgang van zijn dochter met de zoon van Henk en Anna Bovenkamp niet toejuicht.

'Ik hoorde dat je Leentje Bovenkamp wilt uitnodigen voor je verjaardag, Rietje,' zegt Clazien en Rietje knikt.

'Ja, dat heb ik al gedaan.'

'Zou je dat nou wel doen, meisje? Het is voor meisjes toch niet gebruikelijk om jongens op hun verjaarspartijtje te vragen.'

'Maar Leentje komt niet zomaar,' probeert Rietje handig de lastige klip te omzeilen. 'Ik heb Leentje gevraagd me te helpen bij het klaarmaken van chocolademelk en andere dingetjes.'

'Maar daar kunnen Jaan en ik je toch bij helpen!'

'Maar Leen is er ook erg handig in, hoor!' wil Rietje haar gelijk en als ze die middag aan tafel gaan, gaat ze er nog op door.

'Wil jij een jongen op je verjaarspartijtje laten komen?' vraagt vader Siem met gefronste wenkbrauwen.

'Ik wíl het niet alleen, ik héb hem al uitgenodigd, pa.'

'Dan gaat het niet door!'

'Mijn partijtje niet?'

'Je partijtje wel, maar alleen met je vriendinnetjes. Een jongen hoort daar niet bij.'

'Dat zei ik je toch ook al, meisje,' voegt Clazien eraan toe. En dan kan Rietje niets anders doen dan zich erbij neerleggen, maar ze ziet er erg tegen op het Leentje te moeten vertellen. Al vanaf hun geboorte zijn ze samen en ze zijn min of meer aan elkaar verknocht. Dat Leen een jongen is, vindt ze niet zo belangrijk.

Maar haar vader vindt dat juist wel belangrijk. Niet dat het een jongen is, maar dat de jongen geen welgestelde boerenzoon is. Hij ligt er in de bedstee over te piekeren. Thijs kan hem later niet opvolgen, dus zal Rietje de zoon van een rijke boer moeten trouwen. Een jongen die de status van Zwickezicht kan handhaven door nieuw kapitaal in te brengen. Op de zoon van een onbemiddelde tuinder zit hij niet te wachten.

'Kun je niet slapen, Siem?' vraagt Clazien als ze merkt dat haar man maar ligt te draaien in bed.

'Ik zal zo wel inslapen, maar ik lig nog even na te denken over het gedweep van Rietje met Leentje Bovenkamp. Geen meisje haalt het toch in haar hoofd een jongen op haar verjaarsfeestje uit te nodigen, waarom zij dan wel?'

'Omdat zij al haar hele leven met Leentje omgaat, Siem. Ze is negen geworden en Leentje wordt over een halfjaar tien. Het zijn kinderen.'

'Nu nog wel, Clazien, maar kinderen worden groot en als die twee nu al zo aan elkaar hangen, is de kans groot dat ze dat later ook doen. Als zij later trouwt, moet dat met de zoon van een welgestelde boer zijn en niet met een onbemiddelde tuinderszoon.'

'Jij denkt al wel erg ver vooruit, zeg! Maak je toch niet zo druk, man, en ga slapen.' Clazien ergert zich een beetje aan haar man. Waarom zouden ze nu al die lieve Leentje moeten weren? Als hij een keer komt, speelt hij zo aardig met Thijs en zijn omgang met Rietje is nog precies hetzelfde als die altijd geweest is. Rietje is een gevoelig kind, en ze heeft er kennelijk veel moeite mee Leentje te moeten zeggen dat hij op haar verjaarsfeestje niet welkom is. Ze moet bedenken wie die lastige boodschap van haar zou kunnen overnemen.

Als Anna de volgende morgen Jaan komt helpen met enkele zware klussen, ziet Clazien haar kans schoon. Ze wil Anna niet vertellen wat de overwegingen van haar man zijn om Leentje van het verjaarsfeestje te weren, dus bedenkt ze een acceptabeler reden.

'Rietje is binnenkort jarig, Anna, en ze wil Leentje voor haar partijtje uitnodigen. Maar ik denk dat hij als enige jongen tussen alle meisjes zich wel erg opgelaten zal voelen. Wil jij Leentje zeggen dat het niet doorgaat? Rietje vindt het een beetje moeilijk dat zelf tegen hem te zeggen.'

'Dat begrijp ik, Clazien, en ik ben het met je eens dat hij haar beter kan feliciteren als ze samen naar school gaan en er geen andere meisjes bij zijn.' Gelukkig zoekt Anna er verder niks achter.

'Het was geen goed idee van Rietje om jou op haar verjaarspartijtje uit te nodigen, Leen,' zegt ze als ze weer thuis is.

'Vindt Rietje dat ook, moe?'

'Haar moeder vindt dat en ik ben het met haar eens. Jij wilt als enige jongen toch niet tussen al die meiden gaan zitten!'

'Ik ga helemaal niet zitten, want Rietje heeft mij gevraagd haar te helpen met alles klaar te maken.'

'Dat doen de boerin en Jaan, dus jouw hulp is echt overbodig.'

'Dan had Rietje het mij niet moeten vragen,' vindt Leentje. Hij is echt nijdig op haar en dat laat hij de volgende morgen, als ze hem komt ophalen om naar school te gaan, merken ook.

'Ga jij alvast maar, ik kom zo wel,' zegt hij nogal bokkig als Rietje voor de deur staat.

'Nee, ik wacht wel even.' Rietje begrijpt er niets van.

'Ik heb geen zin om samen met jou te lopen, ga nou maar!'

'Ben je boos op me?'

'Ja, als jij me niet op je verjaarspartijtje wilt hebben, dan hoeven we ook niet meer samen naar school te gaan.'

'Ik wil wel dat je komt, maar het mag niet van pa en moe.' Het huilen staat Rietje nader dan het lachen. 'Moe en Jaan schenken zelf de chocolademelk in en delen koekjes uit, dus daarvoor ben jij niet nodig.'

'Mijn moeder zei dat het gek is als ik als enige jongen tussen de meisjes zit. Maar ik heb gezegd dat ik helemaal niet ga zitten. Ik kan je moeder en Jaan toch helpen!'

'Dat vind ik ook en ik heb echt mijn best gedaan om je toch te laten komen, maar het mag niet.'

'Jij vindt het dus ook naar dat ik niet mag komen,' concludeert Leentje.

'Ja, natuurlijk!'

'Nou, laten we dan maar weer vriendjes zijn, want jij kunt er ook niks aan doen. En nou moeten we opschieten, anders komen we nog te laat op school ook.' Leentje zet het op een lopen en Rietje holt, blij dat alles weer goed is, met vreugdesprongetjes achter hem aan.

Zolang ze kinderen zijn, blijft de band tussen Rietje en Leentje stevig. Wel levert het hem de scheldnaam 'meidengek' op, maar Leentje trekt er zich niks van aan. Hij gaat al zijn leven lang met Rietje om en hij zou niet weten waarom hij er plotseling mee zou moeten stoppen.

Als er tegenslagen zijn gaat de tijd tergend langzaam, maar als alles zijn gewone gangetje gaat vliegt de tijd vaak om. Gelukkig gebeuren er op Zwickezicht ook geen uitzonderlijke dingen, maar de bewoners worden telkens wel een jaartje ouder. Voor Siem, Clazien en Jaan maakt een paar jaar leeftijdsverschil niet zo veel uit, maar voor kinderen wel.

De schooltijd voor Leen Bovenkamp zit erop. De kinderen uit de hoogste klas zijn op de laatste schooldag uitgelaten van blijdschap, zo ook Leen. Al een paar dagen terug heeft hij Rietje te verstaan gegeven dat ze hem geen Leentje meer mag noemen, maar Leen. Nu hij de school gaat verlaten, vindt hij dat hij geen kind meer is en dus voor vol aangezien moet worden. Rietje moet nog een halfjaartje, en ze is best jaloers op haar vriendje, want dat is Leen nog steeds.

'Ik blijf gewoon Rietje zeggen, hoor!' Leen vindt dat meisjes, zeker als ze nog een jaar naar school moeten, niet meteen Riet of Lien of Gree genoemd moeten worden. Voor jongens ligt dat anders.

Als Leen de meester bedankt heeft 'voor het genoten onderwijs', zoals Anna hem ingeprent heeft, schopt hij op het schoolplein zijn klompen uit en rent juichend de weg op. Rietje houdt haar klompen aan, maar ze holt hem wel achterna.

'Nou zien we elkaar niet meer iedere dag, Leentje,' zegt ze, maar dan houdt ze beschaamd haar hand voor haar mond en ze verontschuldigt zich ervoor dat ze er niet aan gedacht heeft hem nu Leen te noemen.

'Ik zal het voor deze keer door de vingers zien,' zegt Leen met een ernstig gezicht, maar hij denkt toch na over hetgeen Rietje hem zojuist zei. Het klopt. Hij gaat bij zijn vader in de tuin aan de slag en ziet Rietje alleen nog op zondag in de kerk. Maar zij zit dan helemaal vooraan in een van de vrouwenbanken en hij wat meer naar achteren aan de mannenkant. Toch een nare gedachte dat hij het meisje met wie hij zó veel jaren gespeeld heeft, nog maar af en toe zal zien. Hij krijgt er een brok van in zijn keel. Hij kijkt Rietje aan en ziet dat zij tranen in haar ogen krijgt.

'Vind je het jammer dat we elkaar niet meer iedere dag zien?' vraagt hij zacht en Rietje knikt dan heftig.

'Ik eerlijk gezegd ook.' Met zijn twaalf jaren voelt Leen dat een mooi en lief meisje als Rietje Rouveen meer voor hem betekent dan het speelkameraadje dat ze altijd geweest is. En dan vervolgt hij luchtig: 'Maar we zullen elkaar nog vaak genoeg zien, hoor! Zwickedorp is geen Amsterdam.' Die gedachte fleurt ook Rietje wat op, en als ze bij de tuinderij zijn nemen ze met een armzwaai afscheid.

HOOFDSTUK 4

'Ik weet dat Leen blij is dat hij van school af is, maar ik heb niet genoeg werk voor ons tweeën, Anna,' zegt Henk Bovenkamp als hij even samen met zijn vrouw is. 'Je wilde Gerrie toen zij van school kwam per se thuishouden, maar we kunnen ons twee kostgangers die geen cent binnenbrengen echt niet permitteren, hoor!'

'Gerrie neemt het grootste deel van het huishouden voor haar rekening, waardoor ik mijn handen vrij heb voor mijn naaiwerk en de hulp op Zwickezicht, Henk.'

'Ik vind het best dat je Gerrie thuishoudt, maar voor Leen moeten we toch echt een baantje vinden, al is het maar voor halve dagen.'

'Voor mijn naaiwerk kom ik nogal vaak bij de grote boeren. Ik zal eens informeren of een van hen een hulpje nodig heeft.' Ze vindt haar zoon nog wel erg jong om al bij een boer te gaan werken, maar het is niet anders. Henk heeft wel gelijk. Maar voordat ze bij de naaiklanten gaat vragen, zal ze eerst Siem Rouveen eens polsen, of liever nog Clazien. Als Leen op Zwickezicht werkt, kan ze hem zelf een beetje in de gaten houden en met Clazien als boerin zal hij zeker niet worden uitgebuit.

Ze begint er de volgende ochtend over, als ze op Zwickezicht met z'n allen aan de koffie zitten. Jaap Groot is er die ochtend niet bij, omdat hij even naar de dokter moet.

'Zijn oude kwaal speelt hem weer parten,' weet Siem. 'De laatste tijd klaagt hij weer vaker over pijn in zijn rug.'

Anna vindt het vervelend voor Jaap, maar het komt haar wel goed uit dat hij er die ochtend niet bij is.

'Ja, Jaap heeft zijn beste jaren gehad, mensen,' zegt ze. 'Hij zou best een hulpje kunnen gebruiken, denk ik.'

'Wat voor 'n hulpje, Anna?' vraagt Siem.

'Een stevige knul van twaalf die net van school komt.'

'Heb je iemand op het oog?' vraagt Clazien, die al een vermoeden heeft met wie Anna op de proppen zal komen. Ze krijgt gelijk.

'Mijn zoon Leen.'

'Wil Leen hier vaste knecht worden?' vraagt Rietje gretig. Nu ze Leen niet elke dag meer ziet, beseft ze dat ze hem erg mist. Ze zou het toejuichen als hij op Zwickezicht zou komen. Dit in tegenstelling tot haar vader, want die voelt er niets voor Leen Bovenkamp elke dag in de buurt van zijn dochter te hebben. De zachte blik in haar ogen bij haar vraag of Leen vaste knecht zou willen worden, is hem niet ontgaan. Nee, die twee moeten zo ver mogelijk uit elkaars buurt blijven.

'Als de dokter Jaap wat pilletjes voor zijn rug geeft, redden we het samen ook wel zonder hulp,' zegt hij tot teleurstelling van zowel Anna als Rietje.

Clazien is het niet eens met haar man, maar ze weet best dat hij haar de verantwoordelijkheid laat voor het vrouwelijk personeel, maar dat hij het dan wel zelf voor het zeggen wil hebben als het om het mannelijk personeel gaat.

Als ze die avond alleen is met Siem begint zij erover.

'Ik vond het niet zo'n slecht idee van Anna om een hulpje aan te nemen. Jaap krijgt het er op zijn ouwe dag wat makkelijker door. En wat kost zo'n knul nou!'

'Het gaat me niet zozeer om de kosten, Clazien, maar je weet dat ik Rietje en Leen liefst een beetje uit elkaar houd. Toen ze klein waren, was het risico nog niet zo groot, maar nu liggen de zaken anders.'

'Het zijn nog steeds kinderen, Siem. Anna heeft me vandaag verteld dat Henk onvoldoende werk voor twee op de tuin heeft en er dus voor Leen een baantje gezocht moet worden.'

'Maar dat hoeft toch niet per se hier te zijn!'

'Niet per se, maar hier kwam hij altijd al graag en hij is zo lief voor Thijs.'

'En voor Rietje!'

'Jij ziet spoken, Siem. Als Rietje later een leuke boerenzoon tegen het lijf loopt, dan kan dat toch best wat worden. Nu zit ze nog op school en ze speelt af en toe nog met haar poppen.'

'Ik voel er niks voor.'

'Anna heeft er moeite mee haar kind bij een voor hem vreemde boer te laten werken en ik voel met haar mee. Zij staat altijd voor ons klaar als er hulp nodig is en Thijs heeft ze zelfs ooit de borst gegeven. We hebben verplichtingen tegenover Anna.'

'Ik geef toe dat Anna een lieve en behulpzame vrouw is.'

'Gun het haar dan, Siem! Ook mij doe je er een plezier mee als je die jongen voor halve dagen aanneemt. Het is een stevige knaap en hij kan al een beetje melken ook.'

'Nou, vooruit dan maar, jij je zin!' Het gaat niet helemaal van harte, maar botweg weigeren kan en wil hij uiteindelijk niet.

'Je kunt voor halve dagen op Zwickezicht aan de gang, Leen,' zegt Anna als ze de volgende dag van Clazien gehoord heeft dat haar zoon welkom is. Eerder al heeft ze hem erop voorbereid dat hij zelf wat zal moeten verdienen, omdat er voor twee man onvoldoende werk op de tuin is. Leen zelf ziet dat ook wel in, maar hij wist nog niet waar of hoe hij die centen zou moeten verdienen. Halve dagen op Zwickezicht ziet hij wel zitten. Met de boer heeft hij het altijd goed kunnen vinden en de boerin is een heel lief mens. Niet onbelangrijk is ook dat hij Rietje dan weer elke dag ziet. Nu hij van school is mist hij haar toch wel.

'Ik heb het voor elkaar gekregen dat je alleen de middagen hoeft te helpen, want dan hoef je 's morgens niet voor dag en dauw op om de koeien te melken. Je mag om twaalf uur komen, want dan kun je bij de boer mee-eten en de kost is daar beter dan hier, Leen.'

'Dat heeft de boerin zeker gezegd,' meent Leen en Anna knikt. Ze praat er maar niet verder over met haar zoon, maar ze was gisteren toch wel blij dat Clazien er zelf over begon. Iedere dag een mond minder vullen betekent minder kosten, want evenals Henk is Leen een flinke eter.

'Zo Leen, jij komt op de lekkere lucht af,' veronderstelt Clazien als het nieuwe hulpje die maandag voor het eerst rond het middaguur op Zwickezicht komt.

'Ja, het ruikt lekker naar gebraden vlees, juffrouw Rouveen,' moet Leen bekennen. Het water loopt hem in de mond, want thuis eten ze wel veel groenten maar weinig vlees en daar is hij nou juist zo dol op.

Als de anderen binnenkomen om te eten, verwelkomen ze Leen ook hartelijk. Zelfs van Siem krijgt hij een schouderklopje, want die heeft niets tegen de jongen zelf, integendeel, alleen vindt hij hem niet geschikt voor zijn dochter, die naar zijn mening ook weer een beetje te enthousiast reageert op de komst van de tuinderszoon. Thijs is minstens even enthousiast als Rietje. 'Jeen, Jeen!' roept hij, maar Leen corrigeert hem onmiddellijk. Hij houdt zijn tong tussen zijn lippen, kijkt Thijs aan en zegt 'LLLeen'.

'Geef Thijs straks maar weer spraakles, Leen,' lacht Clazien, 'we gaan nu eerst eten.' Ze is wel weer geraakt door de spontane reactie van hun nieuwe knechtje.

Het eten verloopt zoals alle dagen. Als Siem en Leen hun pet afgezet hebben, wordt er gebeden. Clazien deelt vervolgens de groente uit en Siem het draadjesvlees uit de zwarte pan. Aardappelen pikken ze allemaal uit de grote pan die op tafel staat, in het midden waarvan een juskom gedrukt is. Na een aardappel opgepikt te hebben, wordt die in de juskom gedoopt en opgegeten. Thijs krijgt alles op zijn bord, want die zit anders te veel te knoeien.

Als ze allen hun buik rond gegeten hebben, wordt er gedankt en daarna verdwijnt Siem een uurtje in de bedstee voor zijn middagdutje. Clazien, Jaan en Rietje ruimen de tafel af en wassen de vaat. Leen gaat in het speelhoekje van Thijs zitten en herneemt zijn spraaklessen. Thijs beschouwt Leen min of meer als zijn broer en het gekke is dat ze elkaar goed begrijpen. Leen heeft aan een half woord van Thijs genoeg om hem te verstaan. Als Leen aan het werk moet, zint dat Thijs helemaal niet, maar Leen belooft hem dat hij bij het theedrinken nog even terugkomt.

Maar dan moet er gewerkt worden en Siem geeft Leen zijn opdrachten voor die middag. Eerst moet hij de koebocht strontvrij maken en na de theepauze de koeien ophalen. Het zijn geen zware klussen en als het theetijd is, is de bocht keurig schoon. Dat is wel nodig ook, want als het er te glibberig is loop je de kans dat het melkblok onder je gat vandaan glijdt.

Leen drinkt vlug zijn thee op en doet dan wat hij Thijs beloofd heeft: hij gaat hem weer bezighouden in zijn speelhoekje. Leen is zelf nog een kind en gaat zo op in het spel dat hij de tijd vergeet. Als Clazien haar onnozele jongetje ziet schateren van het lachen, dan smelt haar hart. Ze is blij dat ze haar zin heeft doorgedrukt en dat Leen is aangesteld als hulpje op Zwickezicht. Rietje is daar ook blij om. Ze kruipt even in het speelhoekje van Thijs, die dan straalt van geluk.

'Daar word je niet voor betaald, hoor!' roept Siem ontactisch als hij zijn knechtje ziet spelen. 'Ik dacht dat ik je opgedragen had de koeien op te halen.'

Als door een wesp gestoken, springt Leen met een hoogrode kleur op en hij verontschuldigt zich. Hij rent naar buiten en gaat doen wat hij eerder had moeten doen, maar dat hij helemaal vergeten is door het spel met Thijs.

Als Leen weg is, kijkt Clazien haar man met een nijdige blik aan. 'Waarom deed je nou zo akelig tegen Leentje,

Siem? Je had toch in de gaten dat hij zó opging in zijn spel met Thijs dat hij je opdracht even vergeten was. Ik vind het gemeen van je die jongen zó bruut te behandelen, bah!' Clazien draait zich om en gaat verder met haar werk. Ze is woedend.

'Maar we moeten wel op tijd kunnen melken,' verdedigt Siem zich nog zwakjes, maar als Clazien zegt dat het toch niet uitmaakt of dat vijf minuten eerder of later is, buigt hij zijn hoofd. Zelden heeft hij zijn vrouw zó nijdig gezien en hij schrikt ervan. 'Je hebt gelijk. Ik had niet zo naar tegen de jongen moeten doen,' zegt hij.

Koeien ophalen is vanaf die dag de vaste taak van Leen. Een makkelijk werkje, want de koeien lopen achter elkaar op een uitgesleten paadje dat tot aan de bocht loopt. Daar aangekomen weet elke koe haar vaste plaats en ze hoeft dan nog alleen maar vastgezet te worden. Het melken heeft Leen na een poosje onder de knie, alleen is het nog wat moeilijk de melkemmer tussen zijn knieën geklemd te houden. Maar ook dat went in de maanden die volgen. Eerst perst hij wat melk uit de uier van de koe en bevochtigt daarmee zijn handen. Dan neemt hij twee spenen vast tussen zijn vingers en stroomt de melk in de emmer. Als de koe uit is, leegt hij de emmer via de teems in de gereedstaande melkbus en gaat naar zijn volgende koe. Hij is zodoende een volleerd melker geworden. Zijn pet, die alsmaar vetter wordt, druk hij tegen het warme koeienlijf en de rest is routine. Als hij zo zit te melken heeft hij alle tijd om na te denken over zijn dagelijkse bezigheden en langzamerhand krijgt hij voorkeur voor het boerenwerk. 's Morgens de tuin en 's middags de hoeve. Maar bij zijn voorkeur speelt mee dat hij elke middag Rietje ziet en naarmate hij ouder wordt begint hij haar ook met andere ogen te bekijken. Met de blonde krulletjes rondom haar blozende gezichtje ziet ze er lief uit en ze kan hem ook zo lief aankijken. Nu ze van school af is, is ze ook de hele dag thuis. Zelf is hij inmiddels veertien en als Rietje lief naar hem lacht, gaat zijn hart sneller kloppen.

Als de zomer voorbij is en er een koude en natte periode aanbreekt, wordt het tijd de koeien op stal te zetten. Ze zijn hun vrijheid kwijt en staan de hele winter met hun kop tussen twee palen. Opdat hun staarten niet in de giergoot kunnen hangen, worden die aan een gespannen ijzerdraad vastgebonden. Ze kunnen er dan niet mee zwiepen, maar dat is in de winterperiode ook niet nodig, want van vliegen hebben ze dan geen last.

De periode van najaar en winter is voor de boeren een betrekkelijk rustige tijd, maar november maakt daarop een uitzondering. Niet ten onrechte wordt november ook wel slachtmaand genoemd. Traditiegetrouw wordt er op Zwickezicht dan een vet varken geslacht. Vooral de vrouwen hebben er hun handen aan vol. De grote kuipen waarin het vlees gepekeld wordt, moeten goed schoongemaakt worden en datzelfde geldt voor de weckpotten. Als alles zorgvuldig gespoeld en gedroogd is, wordt slager Gijs Dubbeldam besteld. Maar voordien lopen Rietje en Leen nog even naar het varkenshok waarin het vette varken haar grote kop over de afscheiding steekt en de twee met haar kleine rode oogjes smakkend aankijkt. Ze weet dat ze van Rietje weleens een lekker hapje krijgt.

Leen pakt een paar doorgeschoten kroten en gooit die in de trog. 'Vreet je pens nog maar eens vol, dikkie,' zegt hij. Rietje moet om die uitspraak van haar vriendje lachen, want als boerendochter moet je in dit soort gevallen niet al te teerhartig zijn. Toch heeft ze geen fijn gevoel. Ze is dol op kaantjes en erwtensoep met kluif, maar de gedachte dat dit tevreden knorrende beest, dat ze van biggetje af kent, de volgende dag de keel zal worden doorgesneden en aan een ladder gehangen zal worden, stemt haar toch een beetje somber.

'Waar is de patiënt?' vraagt slager Gijs Dubbeldam, die als bijnaam 'Gijs dubbele ham' heeft, als hij op Zwickezicht aankomt. Gijs is een vrolijke kerel en bepaald niet week-hartig. Hij is de vertrouwde slachter op de hoeven van het dorp. Vooral in november komt hij tijd tekort, dus wil hij meteen opschieten. Siem en Jaap halen het vette beest uit haar hok, maar dat gaat niet geruisloos. Het lijkt wel of 'dikkie' aanvoelt wat haar te wachten staat, want ze gilt zo hard dat het mijlenver te horen is. Thijs komt op het gegil af en kijkt niet-begrijpend, maar wel met ontzag naar de grote slachter met zijn vervaarlijke messen, waarmee deze even later het varken onder oorverdovend gegil de keel doorsnijdt. Het bloed wordt zorgvuldig opgevangen in een grote pot, want daarvan zullen de vrouwen bloedworst maken. Om te voorkomen dat het eiwit in het bloed gaat stollen, moet het voortdurend geklopt worden. Dat is de taak van Rietje, maar zij vindt het wel een beetje eng.

Het ruggelings hangen van het zware varken aan een lad-der is nog een heel karwei, maar het moet gebeuren om Gijs zijn werk te laten doen. Dat deel van de ingewanden dat nog ergens toe dient, wordt apart gelegd. De huid wordt geschroeid en vuil en haren worden afgeschrapt. Om het vlees te laten besterven blijft het varken een poos hangen en Gijs komt later terug om zijn werk af te maken. De vrouwen hebben dan hun handen vol aan het pekelen en het maken van worst, zult en balkenbrij.

'Tijd voor een borrel, mannen!' roept Siem als het kar-wei voor de slachter en zijn knecht erop zit. Het is traditie en dus slaat Gijs in de maand november wat meer borrels achterover dan anders in een heel jaar.

Delen van het varken die niet bewaard kunnen worden, worden meegegeven met Anna en een andere vrouw die ge-holpen heeft. Voor de bewoners van Zwickezicht blijft er echter nog genoeg over. Nog dagen na de slacht hangt er een heerlijke braadlucht in huis en likken de bewoners hun lippen af na het eten van de dikke erwtensoep met flinke kluiven en delen van de snuit en de oren. Thijs smult van de kaantjes, maar hij heeft er geen besef van dat die van het geslachte varken afkomstig zijn.

De komende winter is er weer voldoende vlees voor het dagelijkse warme eten. Clazien heeft ervoor gezorgd dat Anna ook van de hammen en worsten wat mee naar huis krijgt. Het is vooral in de winterdag in het gezinnetje van Henk en Anna Bovenkamp geen vetpot. Leen deert het minder, want hij krijgt zijn dagelijkse portie voorgeschoteld tijdens het middageten op Zwickezicht.

Het wordt een strenge winter, maar daarna volgt weer een mooie zomer. Zo wisselen de seizoenen elkaar in een vast tempo af en zo worden de kinderen telkens een jaartje ouder. Dat geldt ook voor Thijs, maar zijn verstand is blijven steken op het niveau van een vierjarige. Clazien voelt zich schuldig aan de toestand van haar zoon en maakt zich zorgen om de toekomst. Van jongs af aan is zij een teer meisje geweest en dat is er na haar trouwen niet beter op geworden. Er komt nog bij dat ze de laatste tijd weer zo slecht slaapt en 's morgens nauwelijks uitgerust opstaat. Ze benijdt Siem weleens, want die ligt na vijf minuten al te snurken en hij wordt pas wakker als hij een plas moet doen of als de wekker afloopt. Het heeft geen zin om hem 's nachts wakker te maken, want na een paar minuten snurkt hij toch weer verder. Hij heeft zijn rust hard nodig, want een boer maakt lange dagen en het werk is zwaar.

Als ze zo wakker ligt, gaan haar gedachten terug naar hetgeen er in de afgelopen jaren allemaal gebeurd is. De geboortes van de twee kinderen waren erg zwaar, maar vooral de sterfdag van haar moeder staat in haar geheugen gegrift. Pa een schrale man en moe rond als een tonnetje. Dat laatste werd haar fataal, want ze lapte de adviezen van dokter Vredevoort aan haar laars. Zijzelf heeft de bouw van haar vader. Zou ze beter af geweest zijn met de omvang van haar moeder? Zou ze dan meer weerstand gehad hebben? Ze weet het niet en het heeft ook geen zin zich er het hoofd over te breken, want zij is zoals zij is en daar is niks aan te doen. Moeder was te dik en ging dood. Vader is mager als een lat, maar leeft nog. Gelukkig komt Anna geregeld helpen en kan ze fijn met haar praten.

Over de aanwezigheid van Anna zal Siem nooit een opmerking maken, maar voor Leen in de plaats zou hij wel een ander knechtje willen aannemen. De jongen is groot en sterk geworden en hij verricht het werk van een volwaardige knecht. Ze moet de blaren op haar tong kletsen om hem ervan te weerhouden Leen te ontslaan, maar hij komt er steeds weer op terug. Hij ziet aan Leen en Rietje dat die twee gek op elkaar zijn en dat zint hem allerminst. Zelf ziet ze het ook wel, maar zij heeft er minder moeite mee dan Siem. Ze wordt er zo langzamerhand wel moe van steeds voor Leen te moeten pleiten, maar de jongen is niet alleen lief voor Rietje maar ook nog steeds voor Thijs. De laatste is niet meer zoet te houden met een blokkendoos. Hij moet volgens de dokter iets omhanden hebben, maar wat?

Als zij de volgende morgen met Siem aan de ochtendboterham zit, begint zij over het advies van de dokter.

'De dokter heeft makkelijk praten,' meent Siem. 'Ik draag Thijs allerlei werkjes op waarbij hij zijn verstand nauwelijks hoeft te gebruiken, maar de jongen is zó snel afgeleid.'

'Laat hem dan samen met Jaap werken,' suggereert Clazien. Ze weet dat Jaap een zwak heeft voor haar achterlijke jongen en dat dat niet van vandaag of gisteren is. Omgekeerd is Thijs ook erg op de oude knecht gesteld. Van Aagd Groot, de vrouw van Jaap, houdt Thijs veel, want zij is lief voor hem en ze stopt hem af en toe ook wat lekkers toe. Daar is Thijs gek op, maar Clazien heeft er een hekel aan dat ze dat doet.

'Je moet Thijs niet telkens iets te snoepen geven, Aagd,' waarschuwt Clazien de vrouw van hun knecht. 'De jongen wordt veel te dik.'

'Ik geef niet meer dan een halve bab, Clazien. Daar zal hij toch niet dik van worden.'

'Als je dat zeven keer in de week doet wel, Aagd. Elk pondje gaat door het mondje, hoor!'

'Maar mag ik hem wel af en toe iets geven, Clazien? Als ik hem plotseling niks meer geef, denkt hij misschien dat ik kwaad op hem ben.'

'En jij wordt niet gauw kwaad op Thijs, hè?' lacht Clazien.

Ze weet dat Aagd het beste voorheeft met haar jongen, maar ze moet hem niet te veel verwennen, want overal waar 'te' voor staat, is niet goed. Ze zegt het ook en Aagd knikt.

'Ik zal eraan denken, Clazien.'

'Doe dat, Aagd, want niet alleen ik denk er zo over, maar de dokter ook. Hij vindt dat Thijs wat omhanden moet hebben, want hij verveelt zich en gaat dan op zoek naar eten.'

'Misschien kan hij Jaap een beetje helpen. Mijn man en Thijs kunnen het altijd goed vinden samen.'

'Daar heb ik ook al aan gedacht. Jaap heeft ook meer geduld met de jongen dan mijn man. Thijs kan eigenlijk alleen maar iets nuttigs doen als er iemand bij is. Stekelen pikken in de Blauwpolder is aan Thijs niet besteed. Hij snapt er niks van.'

'Jaap zal hem graag onder zijn hoede nemen, Clazien. Daar ben ik zeker van.'

'Clazien was vandaag hier, Jaap,' zegt Aagd als haar man komt eten.

'Had ze een bepaalde boodschap?'

'Ik mag Thijs niet te veel snoep meer geven, want hij wordt te dik. Dat is ook de mening van dokter Vredevoort. Die vindt dat Thijs wat omhanden moet hebben, maar Siem schijnt weinig geduld met de jongen te hebben.'

'Dat weet ik. Hij zegt soms dingen tegen de jongen waar de ziel niks van snapt.'

'Ik heb tegen Clazien gezegd dat jij Thijs graag onder je hoede zal willen nemen; daar heb ik toch niks verkeerds mee gezegd?'

'Nee hoor! Als Siem het ermee eens is zal ik het graag doen. Morgen ga ik een hortje sloten en daar moet hij me maar bij helpen. Zo nodig maak ik er wel een spelletje van.'

'Ik hoorde dat Thijs wat omhanden moet hebben, Siem,' zegt hij de volgende dag tegen zijn baas.

'Ja, Clazien is gisteren bij Aagd geweest en ze vertelde dat ze daarover met haar gesproken heeft. Volgens Aagd wil jij je wel een beetje over de jongen ontfermen. Nou, van mij krijg je alle ruimte, Jaap.'

'Dan gaat-ie morgen maar met me mee de polder in, want dan kan hij me helpen met sloten.'

'Denk je dat het lukt?' Siem kijkt de oude knecht met een ongelovige blik aan. 'De jongen is zó snel afgeleid,' zucht hij.

'Als ik er een spelletje van maak wel, Siem.'

'Ik help het je hopen, Jaap. Veel succes!'

'Wil jij me vandaag een beetje helpen met sloten?' vraagt Jaap de volgende morgen aan Thijs. Die kijkt hem een beetje glazig aan. Het dringt niet tot hem door wat er van hem verwacht wordt, maar als Jaap hem iets vraagt zal het wel goed zijn. Even later sjokt hij dan ook achter Jaap aan de polder in. De sloothaak sleept hij mee. Jaap draagt de scherpe graaf, want die vertrouwt hij de jongen niet toe.

Als ze bij de sloot komen, waarvan de kanten diep uitgetrapt zijn door het drinkende vee, steekt Jaap de kanten in een rechte lijn af en draagt Thijs op de stukken op de kant te trekken met de sloothaak. Hij heeft de afgesneden kant om de halve meter dwars doorgestoken, zodat de stukken makkelijker op de kant getrokken kunnen worden.

'Die stukken zijn waarschijnlijk te groot voor jou om op de kant te trekken,' zegt Jaap nadat hij Thijs heeft voorgedaan wat de bedoeling is. Maar Thijs slaat de haak in de afgestoken stukken en trekt ze met gemak op de kant. Thijs is wel achterlijk, maar aan zijn spieren mankeert hij niks. Jaap prijst hem.

Als het koffietijd is komt Rietje met een mandje waarin ze de koffie, de kopjes, suiker en enkele krentensneetjes heeft verpakt. Alles wordt bedekt door een geruite theedoek.

'Koffie, mannen,' roept ze al van ver en daar heeft Thijs wel oren naar. Hij ploft naast Rietje neer en kijkt onder de geruite doek, maar Rietje duwt zijn hand weg. 'Niet te nieuwsgierig, jongetje,' lacht ze.

Maar Thijs heeft al gezien wat er in het mandje zit en smakt met zijn lippen. 'Lekker!' zegt hij.

'Thijs heeft wel wat lekkers verdiend, hoor!' meent Jaap en Thijs knikt ijverig. Waarmee hij het lekkers verdiend heeft, is hij alweer vergeten.

Als alles op is, likt hij zijn lippen af. Daarna wil hij met Rietje terug naar de hoeve, maar daar steekt Jaap een stokje voor. 'Het werk is nog niet klaar, hoor!' zegt hij en hij drukt Thijs de sloothaak weer in zijn handen en gaat verder met kanten afsteken. Maar dan ziet Thijs een haas wegvluchten en hij wil erachteraan. Jaap houdt hem dan lachend tegen en probeert hem aan het verstand te peuteren dat een haas veel sneller is dan hij.

'Haas is lekker!' weet Thijs dan. Vader Siem heeft een jachtgeweer en schiet daarmee af en toe een haas of een wilde eend. Thijs is vooral een smulpaap. In zijn belevingswereld is lekker eten een belangrijke bezigheid. Te belangrijk, benadrukt dokter Vredevoort nogmaals. Thijs eet wat hij krijgen kan, en behalve de deels mislukte pogingen van Jaap heeft hij nauwelijks beweging of krachtsinspanning.

'Thijs is veel te dik voor zijn leeftijd, vrouw Rouveen,' is de mening van de dokter. 'Zet hem maar aan het werk. Het is een stevige knaap en er is best een taak te bedenken waarbij hij zijn krachten moet gebruiken.'

Ondanks protesten van Thijs zal minder eten wel lukken, maar hoe krijgen ze de knaap aan het werk, waarbij hij zowel in beweging is als zijn krachten kan gebruiken?

'Je moet proberen werk voor hem te vinden waarin hij een uitdaging ziet en waar hij als het lukt voor beloond wordt. Niet met geld of eten, maar met lovende woorden die hij kan begrijpen.'

'De dokter weet het mooi te vertellen, Clazien, maar waar vinden we zulk werk? Jaap heeft al een poging ondernomen die een beetje overeenkomt met hetgeen de dokter bedoelt, maar het duurt allemaal maar even. Hij zou ergens aan de slag moeten kunnen waar hij wat langer kan blijven.'

Ze komen er niet uit.

De oplossing voor het probleem van Thijs komt uiteindelijk van Jaap Groot zelf. Het zit hem een beetje dwars dat hij Thijs niet echt onder zijn hoede kan nemen, want Siem heeft gelijk dat de jongen ontzettend snel afgeleid wordt. Als ze het er weer eens over hebben schiet Jaap een mogelijke oplossing te binnen.

'Jij hebt Bart Borst nooit gekend, hè Siem?'

'Ik ken meelhandelaar Jan Borst, en ik weet dat die vroeger een broer had die Bart heette en niet normaal was. Hij is al gestorven toen ik nog een klein kind was en dus heb ik hem nooit meegemaakt.'

'Ik wel en die Bart had hetzelfde probleem als jullie Thijs. Evenals Thijs was hij een bonk van een kerel. Jan had een speciale manier om zijn broer aan het werk te zetten.'

'Hoe dan?'

'Eigenlijk deed hij precies wat dokter Vredevoort jullie geadviseerd heeft. Hem uitdagen en belonen, niet met geld of eten, maar met complimenten. Jan deed of hij de zware meelzakken niet kon tillen, en dan slingerde Bart ze met gemak op zijn schouders en laadde de wagen tot het zweet hem uit de neusgaten liep. De lof van zijn broer was de beloning voor Bart.'

'Maar je had het over een mogelijke oplossing voor ons probleem met Thijs, Jaap.'

'Wat Jan met zijn broer deed, kan hij ook met Thijs doen, Siem.'

'Zou je denken?'

'Vraag het hem. Je bent een grote klant van de meelhandelaar en dat helpt misschien.' Het laatste heeft Jaap met een olijk gezicht gezegd en Siem knikt aandachtig.

's Avonds praat hij erover met Clazien, maar die kijkt bedenkelijk. 'Is dat gesjouw met meelzakken niet te zwaar voor zo'n jonge knul, Siem?' vraagt zij. 'Ik wil de mening van de dokter weleens horen.'

'Ik vind het een uitstekend idee van jullie knecht, mensen,' zegt de dokter als hij weer langskomt. 'Het is echt belangrijk dat Thijs zijn krachten gebruikt en zodoende afvalt, want anders wordt-ie pafferig dik en dat kan funest zijn voor zijn hart. Van zwaar werk ga je niet dood, maar van een door vet beklemd hart wel.'

Dat laatste zet Clazien aan het denken, omdat het haar eigen moeder overkomen is.

'Ik ga wel praten met Jan Borst,' besluit Siem en hij laat er geen gras over groeien.

'De baas zelf,' zegt Jan Borst verrast. Hij is gewend dat Jaap Groot meel komt halen.

'Ik kom geen meel halen, Jan, maar ik wil met je praten.'

'Dat klinkt officieel! Wat kan ik voor je doen, Siem?'

'Dat zal ik je uitleggen, Jan.' Dan vertelt Siem met welk probleem ze zitten en hij verwijst naar het verhaal van Jaap Groot. 'Jaap denkt dat jij ook met mijn zoon kunt doen wat je vroeger met je broer Bart deed.'

'Jaap heeft er vroeger vaak met zijn neus bovenop gestaan hoe ik met mijn broer omging, dus hij kan het weten. Maar toen leefde mijn vader nog en ik was jong. Nu moet ik hier alles regelen en heb dus niet veel tijd.'

'Maar voor een goede klant heb je toch wel wat over, Jan?' Siem denkt aan de woorden van zijn knecht.

'Ja, ik wil het wel proberen, maar of met Thijs lukt wat ik met mijn broer bereikte, weet ik natuurlijk niet.' Jan houdt wel een slag om de arm, maar een vette klant een dienst weigeren kan hij zich eigenlijk niet permitteren.

'Het voornaamste is dat Thijs er zó stevig tegenaan gaat dat hij zijn overtollige pondjes verliest. Als hij honger heeft, wat bij Thijs nogal eens gebeurt, dan geef je hem maar een appel. Een appel vult de maag, maar je wordt er niet dik van. Die wijsheid heb ik niet van mezelf maar van dokter Vredevoort, want op zijn advies moet Thijs werk hebben waarbij hij in beweging is en zijn krachten moet gebruiken om af te vallen.'

'Maar wat moet Thijs verdienen, Siem?'

'Niks! Geld zegt de jongen niks, maar complimenten des te meer.'

'Je mag de meelhandelaar gaan helpen, Thijs,' zegt Siem als hij thuiskomt. Het valt niet mee Thijs aan zijn verstand te brengen wat er van hem verwacht wordt, maar Thijs bekijkt alles van de zonnige kant en aan de meelhandelaar heeft hij goede herinneringen. Als Jaap meel gaat halen, mag hij altijd mee. Van Jan Borst krijgt hij dan een zakje haver dat hij het paard mag voeren. Daar is Thijs gek op, want hij houdt van paarden. Als andere boeren meel laten ophalen, voert hij ook hun paarden en met die beesten is hij al meteen de beste maatjes. Hij strijkt ze over hun zachte neuzen en houdt hele verhalen tegen ze. Legendarisch is het verhaal van het paard dat niet op scherp stond toen het plotseling begon te ijzelen. Met wagen en al gleed het paard de sloot in en dat gebeurde vlak bij de meelhandelaar waar Thijs toen met Jaap was. Al glijdend spoedde hij zich naar de plaats van het ongeval en bekommerde zich om het paard. Hij stond tot over zijn knieën in de modderige sloot en hield het hoofd van het paard net zo lang boven water totdat het beest losgekoppeld was van de wagen en op het droge geholpen kon worden.

En dan breekt de eerste 'werkdag' van Thijs aan. Jan Borst is de omgang met zijn achterlijke broer nog niet vergeten en begint met Thijs in zijn spierballen te knijpen.

'Hu, daar schrik ik van, zeg! Jij moet wel beresterk zijn met zulke dikke spierballen.' Thijs begrijpt niet precies wat de meelhandelaar zegt, maar hij legt wel een verband tussen de schrik op diens gezicht en de omvang van zijn spierbundels. Jaap Groot, die de eerste keer nog met Thijs meegekomen is, bewondert de komedie van Jan en zegt dat hij er een flinke knecht aan zal hebben. Thijs staat er lachend en heftig knikkend bij.

'Voortaan kan Thijs alleen de weg wel vinden, Jan,' zegt Jaap. 'Hij gaat ook alleen naar het dorp voor een boodschap in het kruidenierswinkeltje van Greet Vink.'

Bij het horen van die naam spitst Thijs zijn oren, want met Greet heeft hij goede ervaringen. 'Lekker snoepie,' zegt hij en hij smakt met zijn lippen. De beide mannen begrijpen dat Thijs in het winkeltje van Greet een snoepje krijgt als hij een boodschap komt doen. Ja, de dorpsbewoners zijn aardig voor de misdeelde boerenzoon.

Een pestkop is klompenmaker Roel Bergman. Als Thijs een enkele keer bij hem komt om nieuwe klompen te passen, dan zet hij hem eerst veel te kleine klompen voor. En als Thijs dan te kennen geeft dat ze niet passen, pakt hij een paar 'formaat kano', maar die klompen vindt Thijs dan weer te groot.

Roel ligt dan krom van het lachen om het beteuterde gezicht van de grote jongen, die het niet op het eerste gezicht aan te zien is dat hij het verstand van een peuter heeft. Uiteindelijk vindt hij natuurlijk wel de juiste maat en dan lacht Thijs alweer. Gelukkig heeft hij zelf niet in de gaten dat hij door de klompenmaker in de maling genomen wordt.

Terwijl Thijs zijn draai bij de meelhandelaar gevonden heeft, schrijdt de tijd gestadig voort. Niet alleen de spierballen van Thijs bollen nu echt op, maar ook die van Leen Bovenkamp die zich met zijn zestien jaren een hele vent voelt. Hij krijgt, wat ze wel noemen, de baard in de keel.

Maar diezelfde stoere knul met de baard in de keel huilt zijn intense verdriet uit aan de borst van zijn moeder als hij hoort dat zijn vader verdronken is. Met een schouw groenten op weg naar de veiling is hij, door een onhandige manoeuvre met de vaarboom, overboord geslagen en jammerlijk verdronken.

Bij de lijkschouwing schudt dokter Jeroen Vredevoort zijn hoofd. Elke week met een schouw groenten naar de veiling en niet kunnen zwemmen. Het ongeval staat niet op zichzelf, want ook de meeste schippers die hun leven lang op het water doorbrengen, kunnen niet zwemmen. Het is te gek voor woorden dat mensen in zulke beroepen niet de moeite nemen om te leren zwemmen en de heersende moraal aan hun laars te lappen. Hij weet best dat er nergens faciliteiten zijn om de jeugd de zwemkunst bij te brengen, zeker niet in plattelandsgemeenten waar zwemmen in het openbaar taboe is. Toch wil hij nagaan of er met de financiële hulp van enkele rijke boeren een voorziening aan de oever van de Zwicke gecreëerd kan worden. Afgeschermd door wat rieten matten en met enkele verkleedhokjes zou de schooljeugd, onder leiding van mensen die de zwemkunst machtig zijn, zich kunnen wapenen tegen de verdrinkingsdood.

Voor Anna en de kinderen komt de overweging van de arts te laat, althans voor man en vader Henk.

Het nieuws van de verdrinking gaat als een lopend vuurtje door het dorp. De mensen komen hun huizen uit en groepen samen om het vreselijke nieuws te bespreken. Allemaal kenden ze de goedlachse Henk Bovenkamp en ze hebben te doen met Anna en haar kinderen.

Ondanks haar kwakkelende gezondheid gaat Clazien zelf naar het huis van de familie Bovenkamp op de tuinderij.

'Wat verschrikkelijk voor jou en je kinderen, Anna,' zegt Clazien en ze slaat haar armen om de vrouw heen die haar zo vaak heeft bijgestaan als het nodig was.

'Ja, ik kan het nog bijna niet geloven, Clazien. Vanmorgen ging hij nog gezond en wel de deur uit en nu dit vreselijke drama.' De tranen lopen tappelings langs haar wangen en Clazien probeert haar een beetje te troosten. Ze heeft medelijden met haar goede vriendin die door dit noodlot getroffen is. Gerrie en Leen zitten stil in een hoekje van de kamer te huilen en ook hen probeert Clazien zo goed mogelijk te troosten, maar wat zeggen woorden bij dit smartelijke verlies.

'Je kunt rekenen op mijn steun in deze moeilijke tijden,' zegt ze en Anna knikt dankbaar, want hulp zal ze als weduwe met twee kinderen zeker nodig hebben.

Omdat Henk enige tijd in het water gelegen heeft, ziet hij er eng uit als hij thuisgebracht wordt om afgelegd en gekist te worden. Neel Duivenbode, de buurvrouw van Anna, is daarbij behulpzaam. In de tuinderswoning krijgt de kist een plaats in de mooie voorkamer. De dokter komt langs om te zien hoe de vrouw en haar kinderen eraan toe zijn. Zijn eerste zorg is hun lichamelijke gesteldheid, maar als even later meneer pastoor arriveert, let die meer op de geestesgesteldheid van zijn bedroefde parochianen en hij probeert hen dan ook te troosten en te bemoedigen. Maar er moeten ook praktische zaken zoals rouwdienst en begrafenis besproken worden.

's Avonds komen familie, vrienden en dorpsgenoten om te bidden voor het zielenheil van de overledene. Rietje, die een van de eersten is, let vooral op haar vriend Leen. Hij staat handenwringend bij de kist en kan zijn tranen niet bedwingen. Zij gaat naast hem staan en legt haar hand op zijn arm. Ook zij laat haar tranen de vrije loop. De vader van Leen noemde haar altijd lachend 'poppie'. Zij heeft dierbare herinneringen aan de man die nu dood in zijn kist ligt. Vreselijk voor tante Anna, Gerrie en Leen. De laatste zou ze willen troosten door haar armen om hem heen te slaan, maar dat gaat niet waar alle mensen bij zijn.

De volgende dag is er een rouwdienst en aansluitend de begrafenis. Henk was geen rijke boer of tuinder, maar hij was geliefd in het dorp en dat laatste is te merken aan de overweldigende belangstelling.

Als Clazien na de begrafenis terug is op Zwickezicht, is zij moe en aangedaan. Toch neemt ze even de tijd om het overlijden en begraven van Henk aan te tekenen in haar dagboek. 'Dagboek' is een groot woord, want zij schrijft er niet dagelijks iets in, maar belangrijke gebeurtenissen worden er toch in opgetekend. Dat is een gewoonte die ze al vele jaren volhoudt. Ze schrijft niet alleen de gebeurtenissen op, maar vertrouwt ook haar gevoelens toe aan het papier. Huisgenoten weten wel dat moeder Clazien een soort dagboek bijhoudt, maar wat ze noteert weten ze niet.

Rietje is dagenlang van streek en dat komt vooral omdat ze zo meeleeft met Leen. Ze zou zijn hoofd wel tegen zich aan willen drukken, maar ze kan niet verder gaan dan hem een troostende blik toewerpen. Dan komt er een dankbare glimlach om zijn mond. Het verlies van zijn vader is voor hem bijna onoverkomelijk. Toch beseft hij dat velen met hem meeleven. Zijn moeder en zus in de eerste plaats, maar de zachte en liefdevolle blik van Rietje is voor hem ook een hele troost. Vader Henk is uit zijn leven verdwenen, maar Rietje Rouveen neemt daar een steeds belangrijker plaats in.

HOOFDSTUK 5

De plotselinge dood van Henk Bovenkamp heeft zijn vrouw en twee kinderen in de ellende gestort. Na maanden slijten de scherpe randjes van hun intense verdriet een klein beetje af. Ze beseffen dat ze ondanks hun verdriet in de tuinderij orde op zaken zullen moeten stellen. Na het tragische ongeval hebben de tuinders van het dorp de koppen bij elkaar gestoken en zij helpen de familie de eerste moeilijke maanden door te komen, maar dat kan natuurlijk niet altijd doorgaan. Anna zal een vaste knecht moeten inhuren, want Leen is nog te jong om zelf alles te kunnen doen. Bovendien houdt zij haar hart vast als Leen met de schouw naar de veiling moet. Ze waarschuwt hem vooral voorzichtig te zijn, want zoals bijna alle dorpsgenoten kan Leen niet zwemmen.

Dat laatste is ook dokter Vredevoort een doorn in het oog.

'Ik ga eens praten met de burgemeester van de gemeente, vrouw Bovenkamp. Het zal hem toch ook een goed ding waard zijn dat de inwoners van zijn gemeente behoed worden voor de verdrinkingsdood.'

'Dokter Vredevoort,' zegt burgemeester Johan Westmaas verrast als hij ziet wie zijn gast die morgen is. 'Waar kan ik u mee van dienst zijn?'

'Dat is niet in drie woorden gezegd, burgemeester.'

'Laten we dan maar even naar mijn kantoor gaan.' Hij draait de punten van zijn snor wat op en gaat de arts voor naar zijn deftige kantoor. Hij bestelt koffie en presenteert zijn gast een goede sigaar. Maar die is aan de dokter niet besteed, want hij rookt nooit.

Westmaas is een aristocraat van de oude stempel en hij kijkt vreemd op als de arts met hem over zwemles voor de jeugd begint. 'Zwemles? Verklaar u nader, dokter.' En Vredevoort doet dat.

'U zult ongetwijfeld vernomen hebben dat tuinder Henk Bovenkamp enkele maanden geleden van zijn schuit gevallen is en verdronk.'

'Dat heb ik gehoord. Het is een tragisch ongeval en heel erg voor zijn vrouw en kinderen.'

'Ik zou dergelijke ongevallen in de toekomst willen voorkomen, meneer Westmaas.'

'Hoe had u gedacht dat te doen, dokter?'

'Door te beginnen met zwemles voor de jeugd. Als Bovenkamp in zijn jeugd had leren zwemmen, zou hij niet verdronken zijn. En dit verdrinkingsgeval staat niet op zichzelf. Het overkomt zelfs schippers die hun hele leven op het water doorbrengen. Ik word af en toe geconfronteerd met de slachtoffers en het leed van de nabestaanden, en dat is een heel naar onderdeel van mijn beroep, dat kan ik u verzekeren.'

'Dat wil ik graag geloven, dokter.'

'Dan zijn we het daar in ieder geval over eens, maar hoe denkt u over mijn voorstel de jeugd zwemles te geven?'

'Daar zijn toch geen faciliteiten voor, dokter!'

'Die moeten dan gecreëerd worden.'

'Hoe?'

'Door simpelweg aan de walkant van de Zwicke een stukje af te schermen met rieten matten, enkele kleedhokjes te bouwen en een zwemleraar in te huren.'

'Dat gebeurt toch nergens in Nederland!'

'In de grote steden zijn al openbare zwembaden, laatst nog is er in Den Haag een geopend.'

'We zitten hier in een plattelandsgemeente, en aan een

dergelijke zedenverwildering zijn wij gelukkig nog niet toe.'

'Ik zeg toch dat we moeten beginnen bij de jeugd en dat alles aan het oog onttrokken wordt door rieten matten te plaatsen.'

'Als de jongens kunnen zwemmen, kruipen ze voorbij de rieten matten de kant op en dan heb je de poppen aan 't dansen. De burgers zouden mij die ontucht wellicht persoonlijk aanrekenen.'

'Is de verdrinking van een huisvader met vrouw en kinderen niet erger dan wat ouderwetse bedenkingen van u en kwezels in de gemeente, meneer Westmaas?' Vredevoort kijkt de voldane, dure sigaren rokende burgemeester met een vernietigende blik aan.

'We kunnen dit gesprek beter beëindigen, m'n waarde, want ik ben het niet gewend in mijn eigen kantoor de les gelezen te worden.' De deftige burgemeester loopt rood aan en het is wel duidelijk dat hij heel nijdig is. Een doktertje dat hem, Johan Westmaas, op zijn nummer zet! Waar haalt hij het lef vandaan?

Als Jeroen Vredevoort buiten staat, moet hij een beetje lachen om de middeleeuwse burgemeester. Op de eerste Olympische Spelen was wedstrijdzwemmen zelfs onderdeel van het programma. Hij lacht wel, maar is niet blij. Wel is hij vastbesloten zijn pogingen niet op te geven. Wie heeft er in een dorp meer gezag dan een pastoor? Als hij de al wat oudere pastoor Geerlings kan overtuigen, zal zijn plan zeker slagen. Wat rieten matten en een paar kleedhokjes kunnen hem de kop niet kosten; daarover maakt hij zich het minst zorgen.

Nadat hij die dag wat patiënten bezocht heeft, rijdt hij door naar de pastorie. Op zijn bellen wordt de deur geopend door pastoorsmeid Kee de Zoete. 'Meneer pastoor is niet ziek, hoor dokter!' zegt ze in de veronderstelling dat de dokter op ziekenbezoek komt.

'Dat weet ik, Kee, en daar kom ik ook niet voor. Maar ik wil hem even spreken.'

'Meneer pastoor zit in de spreekkamer. Ik zal zeggen dat u hier bent. Komt u maar even in de gang.' Kee heeft niet alleen ontzag voor meneer pastoor, maar ook voor de dokter. Dat geldt trouwens eveneens voor de pastoor, want hij komt zelf de gang in om de dokter te verwelkomen.

'Breng ons even een kopje thee, Kee,' draagt hij zijn huishoudster op en hij gaat de dokter voor naar de spreekkamer. Het is een mooie antieke kamer met aan de wanden rijen boeken, waarvan de Latijnse titels de strekking van de inhoud weergeven. Als een van de weinige gasten kan Vredevoort ze begrijpen.

'Wat kan ik voor u doen, dokter?'

'Meewerken aan mijn plan, meneer pastoor.' Vredevoort legt de pastoor het probleem voor zoals hij dat eerder op de dag deed bij de burgemeester. Maar tot zijn teleurstelling wijkt de reactie van de geestelijke niet veel af van die van burgemeester Westmaas.

'Denkt u ook aan zwemles voor meisjes, dokter?'

'Jazeker! Meisjes kunnen ook verdrinken. We moeten er dan wel voor zorgen dat jongens en meisjes afzonderlijk les krijgen.' Niet dat Vredevoort zelf zo zwaar tilt aan gemengd zwemmen, maar hij moet het de pastoor niet te moeilijk maken.

'Ik voel helemaal niets voor uw plan, dokter,' zegt hij en daar kan Vredevoort het mee doen, want de geestelijke is niet te vermurwen. Deels heeft hij dezelfde argumenten als de burgemeester, maar hij voegt er nog iets aan toe. Hij zegt: 'Als God de mens voor verdrinking had willen behoeden, dan zou Hij hun wel zwemvliezen gegeven hebben.'

De laatste opmerking werkt op de lachspieren van de dokter. 'Dan zouden de mensen wat moeilijk in hun schoenen of klompen komen, meneer pastoor,' sneert hij, maar de geestelijke kan de grap niet waarderen.

'Ik meen het serieus, dokter!' reageert hij een beetje nijdig en ook die reactie wijkt niet veel af van die van Westmaas. Bij beide heren heeft dokter Vredevoort die dag geen beste beurt gemaakt. Het kan hem niet schelen. Bij hem staat een mensenleven in hoger aanzien dan bij de twee bejaarde heren, gezien hun 'gekwezel'.

'Gaat de burgemeester meewerken om jonge mensen zwemmen te leren, dokter?' vraagt Anna als dokter Vredevoort weer komt.

'Helaas niet, vrouw Bovenkamp. Ook meneer pastoor heeft zijn principes.'

'Wat betekent dat?'

'Dat ze bang zijn de fatsoensnormen te doorbreken.'

'Dat klinkt geleerd, dokter.'

'Laat ik u er niet mee vermoeien, vrouw Bovenkamp. De burgemeester is bang dat hem zedeloosheid zal worden verweten en de pastoor is bang zieltjes te verliezen.'

'Maar ik heb mijn man verloren, dokter. Geldt dat dan niet?'

'Dat geldt zeker, en om te voorkomen dat uw zoon hetzelfde overkomt, heb ik een voorstel waar ik alleen uw toestemming voor nodig heb.'

'Welk voorstel?'

'Ik heb gezien dat er naast de tuin een brede sloot loopt met helder water.'

'Ja, dat is onze vaarsloot. Voordat hij verdronk heeft mijn man de sloot nog helemaal vrijgemaakt van plantengroei en diep uitgebaggerd, vandaar dat die nu zo helder is.'

'Dat is prachtig! Er loopt een brede graskant langs waarop een bank geplaatst kan worden waarop Leen en eventueel zijn vrienden hun kleren kunnen leggen. De voor- en zijkanten van de sloot worden over een lengte van zo'n tien meter afgeschermd, zodat er van de weg af niets te zien is. Niet dat ik daar zo zwaar aan til, maar je kunt de roddels beter voor zijn.'

'Maar de sloot is diep. Loopt Leen dan niet het risico te verdrinken? Want er zal niemand zijn die hem leert zwemmen.'

'Hoeft ook niet, vrouw Bovenkamp. Als er een lange stam of vaarboom over de sloot gelegd wordt, kan Leen zich daaraan vasthouden tot hij los kan zwemmen.'

'U hebt alles wel goed overwogen, hè?' Anna kijkt de geneesheer met bewondering aan.

'Ik laat me door een paar bejaarde tegenstanders niet in de hoek drukken, vrouw Bovenkamp. Dat is mijn eer te na.' Er komt een wat verbeten trek om de mond van de arts. Nog steeds verbaast het hem dat er mensen zijn die achterhaalde fatsoensnormen belangrijker vinden dan het behoud van een mensenleven.

Leen is enthousiast over het voorstel van de dokter. Samen met een paar vrienden zoekt en vindt hij rieten matten. Met slieten worden die langs de sloot geplaatst, precies zoals de dokter heeft voorgesteld. Ze vinden een oude vaarboom die lang genoeg is om over de sloot te leggen, en een brede plank met een paar schragen dient als bank, waarop ze hun kleren kunnen leggen.

'Zeg thuis maar niks, hoor!' adviseert Leen zijn vrienden die, net als hijzelf, ook willen leren zwemmen. Als alles klaar is, breken er een paar warme dagen aan en kan er gezwommen worden. Het is eerst nog maar een beetje spartelen met handen aan de vaarboom, maar een voor een laten de jongens de boom even los en proberen enkele slagen te zwemmen. Ze zijn zó enthousiast over hun eigen prestaties dat ze dagelijks terugkomen, ook als het weer minder zonnig is.

Net als er vier jongens bezig zijn in de sloot komt dokter Vredevoort langs om te zien of er al iets gedaan is met zijn idee. 'Gaat u maar kijken,' zegt Anna en dat doet de dokter dan ook. De jongens zakken tot hun nek in het water als ze de dokter zien komen, maar die lacht dat hij niet schrikt van een beetje naakt.

'Laat maar eens zien wat jullie kunnen, jongens,' roept hij en dat laten de knapen zich geen twee keer zeggen. Ze buitelen over elkaar heen en zijn zelf verbaasd dat ze boven water blijven als ze meer dan een meter van de oude vaarboom verwijderd zijn.

Jeroen Vredevoort klapt in zijn handen. Als student zou hij zijn kleren uitgetrokken hebben en erbij gesprongen zijn, maar hij moet zich inhouden, want kletspraatjes steken o zo snel de kop op. Hij is de gerespecteerde arts van het dorp en kan het zich niet permitteren, maar de jongens overlaadt hij met complimenten.

Een maand na het bezoek van de dokter kan Leen zwemmen en Anna is daar erg blij om. Haar angst dat Leen overkomt wat haar man is overkomen, is hiermee weggenomen. Ze is vol lof over de dokter die dat voor elkaar gekregen heeft. Zelf is hij niet tevreden met dit resultaat, maar het betekent wel een kleine doorbraak. Beter iets dan niets!

In het kleine dorp aan de Zwicke lekt het zwemavontuur van de vier jongens natuurlijk uit. Leen heeft de zorg van zijn moeder weggenomen, en ook een vriend die hetzelfde werk doet als hij heeft thuis geen moeilijkheden ondervonden, maar de andere twee jongens kwamen er minder genadig vanaf. Angst voor het verwijt van meneer pastoor speelde daarbij een rol.

Ook in de scheerwinkel van Bram van Doorn wordt erover gesproken. Er zijn tegenstanders en de voorstanders durven nauwelijks voor hun mening uit te komen, want zwemmen is in het behoudende dorpje een echt taboe.

Maar het onderwerp is nauw verweven met de tuinderij van wijlen Henk Bovenkamp. Een vaste knecht is nog niet aangenomen, maar Teun de Laat hielp de gedupeerde familie de eerste maanden wel geregeld. Teun is vrijgezel en natuurlijk maken andere scheerklanten grappen over de voorkeur van Teun. 'Kies je voor de tuin of voor Anna, Teun?' vragen ze. Anna zal tegen de veertig lopen. Ze zijn het er allen over eens dat Anna nog een knappe vrouw is.

'Anna was vroeger een van de mooiste meisjes van het dorp,' weet de rietdekker. 'Velen waagden een kansje bij haar, maar de vrolijke vrijbuiter Henk Bovenkamp strikte haar. Eeuwig zonde dat die jongen zo ellendig aan zijn eindje moest komen.' De andere scheerklanten zijn het met hem eens, maar ze betwijfelen of Teun de Laat ooit de plaats van Henk zal kunnen innemen. Teun is voor in de veertig en nogal bleu. Hij gaat niet in op de suggestieve vragen van de mannen, maar hij is het met hen eens dat hij niet alleen voor de tuin kiest. Hij begrijpt best dat de dood van Henk Bovenkamp Anna nog dagelijks bezighoudt en dat zij niet zit te wachten op hem, maar hij heeft geduld. Op de tuinderij, die Anna noodgedwongen moet voortzetten maar waar ze geen verstand van heeft, is hij nu min of meer zijn eigen baas en dat bevalt hem wel. Zolang zijn oude moeder nog voor hem kookt en wast, heeft hij geen haast. Maar zij is achter in de zeventig en het is natuurlijk de vraag hoelang ze het nog volhoudt. Hij wil graag als vaste kracht op de tuinderij van wijlen Henk Bovenkamp worden ingehuurd en hij praat erover met Anna. Zij heeft de ervaring dat Teun alles op de tuin keurig regelt en ook Leen is vol lof over hem. Ze besluit dus Teun in vaste dienst te nemen.

'Maar ik kan je niet veel betalen, hoor!' zegt ze en Teun heeft daar begrip voor. Voordat ze Teun aanstelde heeft ze een gesprek gehad met een broer van Henk en die heeft haar een goede tip gegeven.

'Je moet Teun tien procent van de omzet geven. Hij moet er belang bij hebben en zal dan eerder zijn best doen extra afzet te vinden door buiten de veiling om groenten te verkopen,' was zijn stellige mening. Teun blijkt vooral voor dat laatste erg gevoelig te zijn. Met het lage loon en tien procent van de omzet gaat hij akkoord. Niet dat hij verwacht er kapitalen aan over te zullen houden, maar als hij erin slaagt zich op de tuinderij onmisbaar te maken, zullen zijn kansen om het ooit met Anna eens te worden, zeker stijgen.

Met zijn zestien jaren is Leen Bovenkamp een stevige knul. Hij doet op de tuin qua werk niet onder voor een volwassen knecht, maar zoals voorheen is er op de tuin onvoldoende werk voor twee volwaardige krachten. Op Zwickezicht kan hij nog steeds voor halve dagen terecht, want vooral Jaap Groot, die er niet jonger op wordt, kan niet meer uit de voeten als voorheen. Evenals zijn vrouw vindt Siem dat ze Anna Bovenkamp en haar gezinnetje in de moeilijke tijd na de dood van Henk moeten steunen, maar Siem heeft nog steeds wat moeite met de aanwezigheid van Leen. Naarmate Leen en Rietje ouder worden, ziet hij dat ze wel erg veel aandacht aan elkaar besteden. Buiten dat kan hij echter geen reden verzinnen om Leen door een andere knecht te vervangen. Wel is het zo dat hij met een knecht voor halve dagen niet meer uitkomt als Jaap nog verder achteruitgaat. Maar zover is het nog niet. Leen is een harde werker en een aardige jongen, maar niet geschikt als toekomstige man voor Rietje. Voor zijn dochter heeft hij wel andere potjes op het vuur staan, want omgang en trouwen met een berooide tuinder kan hij echt niet toestaan. Aan de emotionele overwegingen van Clazien heeft hij geen boodschap.

'We moeten toch weer eens praten over Rietje en Leen,

Clazien. Ze nemen naar mijn gevoel veel te veel notitie van elkaar. Ze zien elkaar veel te vaak en dat zint me niet. Bovendien denk ik dat we met een knecht voor halve dagen Jaap onvoldoende ontlasten.'

Clazien zucht en schudt haar hoofd. 'Begin je daar nou weer over, Siem? Rietje is vijftien en Leen is zestien, dus waar praat je over?'

'Ben jij dan blind, Clazien, of wíl je het niet zien? Ze kunnen geen oog van elkaar afhouden.'

'Maak je daar toch niet zo druk om, jongen!' Clazien pakt haar breiwerk weer op, waarmee ze te kennen geeft dat ze er niet verder over wil praten. Siem houdt er dan ook maar over op en verdiept zich in de marktberichten.

De zomer gaat over in de herfst en dan komt het einde van het jaar in zicht. In de tuinerswoning wijken feesten als Sinterklaas en Kerstmis wel erg af van deze dagen in voorgaande jaren. Ze missen op zulke dagen de vrolijke aanwezigheid van vader Henk. Gerrie, de twee jaar oudere zus van Leen, heeft de vrolijke aard van haar vader en ze tracht de familie wat op te vrolijken door voor zowel moeder als Leen cadeautjes te kopen. Ze is dienstbode bij de vrouw van de bovenmeester en heeft van haar loontje wat overgespaard. Het zijn natuurlijk geen grote cadeaus, maar de anderen zijn er blij mee. Ze zijn vooral blij met de sfeer van vroeger die Gerrie weer oproept door vooraf een grote zak voor de deur te zetten en hard op de ramen te bonzen. Vroeger, toen de kinderen nog klein waren, zorgde vader voor die spanning. Gerrie en Leentje geloofden nog in de sint. Nu is alles anders, maar Anna en Leen spelen het spel mee en slaken verbaasde kreten als Gerrie de zak mee naar binnen sleurt.

Anna mag de cadeautjes verdelen en bij elk pakje zit een rijmpje. Voor broer Leen heeft Gerrie een badmuts gekocht en er een heel toepasselijk rijmpje bij gesloten over zijn escapades in de sloot naast de tuin. Voor haar moeder heeft ze een paar warme wanten gebreid. De strekking van het rijmpje is dat ze al een warm hart heeft en straks ook warme handen.

Anna is ontroerd door het lieve gebaar van haar dochter. Gelukkig heeft zijzelf ook wat cadeautjes in de zak gestopt, maar ze moet zich verontschuldigen voor het ontbreken van rijmpjes. 'Jij bent beter in rijmen dan ik, Gerrie,' zegt ze.

Maar Gerrie haalt haar schouders op. 'Niet ik maar Sinterklaas heeft die rijmpjes gemaakt, hoor!'

De anderen moeten erom lachen. Moeder besluit de avond traditiegetrouw met warme chocolademelk met een stukje van een banketstaaf. Leen zet zijn tanden ook in het suikerbeest dat hij, samen met een chocoladeletter, gekregen heeft. Al met al wordt het een gezellige avond.

Kerstmis valt dit jaar op maandag en dinsdag, wat dus betekent dat er drie zondagen na elkaar zijn. Voor Thijs Rouveen is dat erg verwarrend. Hij wil op de eerste kerstdag al naar de meelhandelaar, want hij heeft het er goed naar zijn zin. Jan Borst weet uit ervaring hoe hij met knapen als Thijs moet omgaan, met als gevolg dat er van de pafferigheid van Thijs niet veel meer over is. Hij krijgt complimenten als hij flink gesjouwd heeft en daar is de jongen gevoelig voor.

Als hij zijn klompen aandoet om op pad te gaan, moeten Clazien en Siem hem aan het verstand zien te brengen dat hij enkele dagen niet naar Jan kan, omdat het feest is. Ze zeggen hem dat ze de geboorte herdenken van het kindje Jezus.

'Waar?' vraagt Thijs. Hij kijkt in alle hoeken, maar vindt geen kindje.

'We zullen volgend jaar een kerststalletje maken met het kindje Jezus erin en ook met Maria en Jozef en de herders met hun schaapjes. We zullen het stalletje dan op de kast zetten, zodat je alles goed kunt zien.'

Maar Thijs begrijpt er niets van. Schapen in een stal op de kast. Hij moet erom schateren en zegt: 'Jullie denken zeker dat ik gek ben!' Clazien en Siem lachen dan maar mee, want zijn opmerking is wel erg komisch.

Thijs is snel afgeleid, en hij is het hele geval alweer vergeten als hij na het extra verzorgde middagmaal een toetje in de vorm van een dikke gele pudding voorgeschoteld krijgt. 'Lekker, pudding!' zegt hij met smakkende lippen en hij kijkt iedere schep na die moeder op het bord van vader schept. Dan kijkt hij in de schaal of er nog voldoende voor hem overblijft, maar Clazien maant hem tot kalmte.

'Jij bent zó aan de beurt, hoor!' zegt ze met een glimlach, want boos kan ze nooit worden op haar jongen. Thijs is nog steeds een smulpaap, maar ze hoeven niet meer zo voorzichtig te zijn, want hij werkt de extra pondjes er wel weer vanaf.

Ze hebben trouwens allemaal flink trek, want van de afgelopen nacht zijn ze een deel in touw geweest door het bijwonen van de nachtmis. Thijs is met Jaan thuisgebleven. In overleg met meneer pastoor is besloten de onnozele jongen niet meer mee te nemen naar de kerk, want evenals een kleuter begrijpt hij niets van het gebeuren tijdens de mis en hij kan ook geen uur achter elkaar stil blijven zitten. Onder de consecratie zat hij eens omslachtig te gapen en rare geluiden te maken en dat werkte op de lachspieren van de 'beminde gelovigen'. De sacrale sfeer leed er erg onder. Dat wil Siem niet meer meemaken, want Thijs moest wel steeds bij hem aan de mannenkant gaan zitten.

Tijdens de jaarwisseling slaat het weer om. Het gaat licht vriezen en er vallen sneeuwbuien. De kinderen van arbeiders en knechten trotseren de kou en de sneeuw, want ze weten dat ze een centje kunnen beuren bij de boeren als ze 'zalig Nieuwjaar' gaan wensen. Zo komen ze ook bij Zwickezicht en Jaan komt aan de deur.

'Wij wensen u en de familie Rouveen een zalig Nieuwjaar, juffrouw Tamman,' zeggen de kinderen braaf. Thuis zijn ze uitgebreid geïnstrueerd en ze houden zich er zorgvuldig aan, want hoe beleefder ze zijn, hoe groter de kans dat ze iets krijgen.

'Hier heb je een cent en een lekker appeltje.' Jaan weet dat een kinderhand gauw gevuld is en dat blijkt, want de kinderen bedanken haar hartelijk. Vorig jaar gaf Jaan nog een halve cent en daar moesten de kinderen het mee doen, maar Clazien vond dat wel erg karig en vroeg Jaan wat extra's te geven, en de wil van Clazien is zoals altijd wet voor Jaan.

Thijs staat erbij als de kinderen met hun gelukwensen komen en is teleurgesteld dat hij niks krijgt. Zoals Jaan gevoelig is voor de wensen van haar bazin, zo is ze ook gevoelig voor die van Thijs. Ze heeft hem vanaf zijn geboorte meegemaakt. Eerst had ze zielsmedelijden met het achterlijke jongetje, maar allengs merkte ze dat Thijs helemaal niet zo zielig is. Hij kent geen zorgen en is altijd vrolijk. Ze houdt van de jongen en verwende hem in het begin wat te veel naar de zin van Clazien. Weigeren kon ze hem bijna niets, met als gevolg dat hij te dik werd. Nu weet ze dat ze verkeerd deed met hem overal zijn zin in te geven, maar een cent en een appeltje kunnen geen kwaad.

'Hier, jij ook een cent en een appeltje,' zegt ze, de grote knul over zijn bol aaiend. Thijs stopt de cent in zijn zak. Hij heeft er geen benul van wat hij ermee aan moet, maar het appeltje vermaalt hij tussen zijn sterke kiezen en hij staat alweer te dansen van plezier. Voor hem is Jaan een soort tweede moeder.

De vorst houdt de eerste dagen van het nieuwe jaar aan en het beetje sneeuw dat er ligt, wordt door een sterke wind weggeblazen.

Als vooraanstaand lid van de dorpsgemeenschap heeft Siem Rouveen een aantal belangrijke bestuurlijke functies. Een ervan is voorzitter van de plaatselijke ijsclub.

'Kunnen we het ijs al op, pa?' vraagt Rietje als het al enkele dagen gevroren heeft. Ze is gek op schaatsen en ze weet dat Leen dat ook is.

'Je gaat nog niet het ijs op, hoor!' schrikt Clazien. In haar jonge jaren heeft ze eens een verdrinkingsgeval van een klasgenootje meegemaakt en sedertdien is ze voorzichtig, zeker als het om haar kind gaat.

'Doe wat je moeder zegt, meisje,' zegt Siem. 'Morgen roep ik de bestuursleden van de ijsclub bijeen voor een vergadering. Als ik zo naar de lucht kijk, denk ik dat het vriezende weer nog wel enkele dagen, misschien zelfs een week, zal aanhouden.' Als boer, die bijna altijd afhankelijk is van het weer, heeft hij er wel kijk op. Vooral nu de wind is gaan liggen en het 's nachts matig vriest, wordt er al snel een ijslaag gevormd.

'Hebben jullie al iets besloten, pa?' vraagt Rietje ongeduldig als haar vader na de vergadering thuiskomt.

'Ja, maar het hangt nog wel af van het weer. Als het nog drie nachten flink vriest, kunnen we aan het einde van de week een kortebaanwedstrijd houden.'

'Dat ga ik gauw aan Leen vertellen, want hij zal zeker een van de deelnemers zijn,' zegt ze enthousiast. Een beetje te enthousiast naar de opvatting van vader Siem. Nog steeds bemoeit zijn dochter zich veel te veel met de zoon van Anna Bovenkamp en dat zint hem niet. Rietje is inmiddels ook zestien en op die leeftijd krijgen jonge meiden allerlei romantische ideeën. Die mag ze hebben, maar ze zal zich dan wel moeten beperken tot jongens die tot hun eigen welgestelde kringen behoren. De zoon van Anna is een alleraardigste jongen, maar hij past niet in Siems plan. Rietje moet trouwen met een welgestelde boerenzoon.

'Ga je het ook aan andere jongens van jouw leeftijd vertellen?' vraagt hij en Rietje kijkt hem niet-begrijpend aan.

'Nee, waarom zou ik?'

'En waarom dan wel aan Leen?' Siem kijkt zijn dochter streng aan en zij krijgt een kleur, want nu begrijpt ze waarom vader haar die vraag stelt. Als ze antwoordt dat ze het doet omdat ze van Leen houdt, dan wacht haar weer een hele preek, want ze weet donders goed dat vader zijn zinnen heeft gezet op de zoon van een rijke boer. De echt rijke boeren in het dorp die vergelijkbaar zijn met de welstand van haar vader, zijn op de vingers van één hand te tellen. Als ze dan ook nagaat welke zonen ze van haar leeftijd hebben, dan slaat de schrik haar om het hart. Met geen van hen zou ze verkering willen hebben. Maar zelfs als ze erg knap zouden zijn, dan nog wil ze hen niet inruilen voor Leen.

'Nou, wat heb je daarop te zeggen?' Siem wil een duidelijk antwoord van zijn dochter. Hij kijkt haar nog steeds indringend aan en dat maakt Rietje onzeker.

'Omdat Leen hier in de buurt is en de andere jongens niet,' mompelt ze, maar het klinkt niet erg overtuigend.

'Houd je voorlopig maar bij je vriendinnen,' besluit Siem.

Die nacht droomt Rietje dat ze met Leen op het ijs is. Verderop staan wat zonen van rijke boeren en die klampen haar vader aan. Als ze naar haar wijzen, fluistert ze Leen toe dat ze samen maar een stil plekje moeten opzoeken, en Leen is daar wel voor te porren. Hij trekt haar mee in de richting van het meer, en als ze een plekje gevonden hebben, staat hij stil en slaat zijn armen om haar heen. Hij kijkt haar dan diep in de ogen en kust haar innig op haar mond. Ze probeert hem terug te kussen, maar dat lukt niet zo goed.

Dan wordt ze wakker en ze merkt dat ze met haar kussen in haar armen ligt. Ze is teleurgesteld dat het maar een droom was, maar dan bedenkt ze dat dromen niet altijd bedrog hoeven te zijn. De komende dagen zullen ze kunnen schaatsen en er zijn in de omgeving voldoende stille plekjes te vinden om te kussen en te knuffelen. Ze verlangt ernaar, want ze realiseert zich dat ze zo langzamerhand tot over haar oren verliefd is op de knappe, gespierde Leen Bovenkamp. Het evenbeeld van zijn moeder, want tante Anna is ook knap en donker van haar. Vanaf haar vroegste herinneringen spelen tante Anna en Leen een rol in haar leven. Als peuter ging ze al met hem om, en toen voor hen de schooltijd aanbrak, waren ze ook bijna onafscheidelijk. Er is eigenlijk nooit iets veranderd, want ook nu ziet ze hem dagelijks en ze is daar blij om. Hij kennelijk ook, want zijn zachte blik zegt voldoende.

'Er hangt al een aankondiging voor het raam van De Kroonkurk,' zegt Leen als Rietje hem vertelt dat er kortebaanwedstrijden verreden zullen worden.

'Ga je deelnemen?'

'Wat dacht jij dan? Natuurlijk doe ik dat. Misschien zijn er wel wat pondjes spek en bonen te verdienen.'

'Maar gaan we eerst nog wat zwieren, Leen?'

'Zeker! Maar ik moet eerst mijn rondrijders nog laten slijpen. Ik breng mijn doorlopers en rondrijders vandaag nog bij de timmerman. Zijn jouw schaatsen scherp genoeg? Als ze bot zijn, neem ik ze ook wel mee naar de timmerman.'

'Ik breng ze zelf wel bij de timmerman, Leen. Als jij het doet gaat mijn vader weer vragen stellen.'

'Wat voor vragen?' wil Leen weten.

'Hij vindt dat ik me wat te veel met jou bemoei. Hij ziet liever dat ik met zonen van rijke boeren omga.' Ze kan het niet zeggen zonder een kleur van schaamte te krijgen.

'Dat had ik al eerder begrepen, maar wat vraagt hij nou precies?'

'Toen ik hoorde dat er kortebaanwedstrijden gehouden

zouden worden, zei ik dat ik jou dat gauw zou gaan vertellen, en toen vroeg hij of ik dat ook tegen andere jongens ging zeggen.'

'En toen stond jij met je mond vol tanden.' Leen moet een beetje lachen, want hij trekt zich eigenlijk van de houding van de boer niks aan.

'Nee, ik dacht er eerst niet bij na en ik vroeg waarom ik dat aan andere jongens zou gaan vertellen, waarop pa weer vroeg waarom dan wel aan jou. Hij keek me heel streng aan.'

'Trek het je niet aan, Rietje. Als het niet gaat dooien, gaan we de komende dagen fijn samen zwieren.'

De wens van de verliefde jongelui gaat in vervulling, want het vriezende weer houdt aan en na enkele dagen is het ijs sterk genoeg om wedstrijden uit te schrijven en tochten te organiseren. De ijsclub heeft er de handen aan vol, maar omdat de leden boeren of tuinders zijn, hebben ze tijd genoeg, want met vriezend weer kan er nauwelijks gewerkt worden. Tuinders snoeien wat en bij de boeren beperkt het werk zich tot melken en mesten.

Omdat er bij wedstrijden veel toeschouwers zijn, wordt nog enkele dagen gewacht tot het ijs de vereiste dikte heeft. De lui die zich voor de wedstrijden hebben laten inschrijven, hebben zodoende nog enkele dagen de tijd om de stijve spieren wat los te rijden en te laten wennen aan de onalledaagse bewegingen op het ijs.

Leen probeert zich goed voor te bereiden op de komende wedstrijden. Op de dag waarop de wedstrijden gehouden worden, schaatst hij enkele keren het meer in de rondte, maar hij vindt het dan genoeg en zoekt Rietje op. Ze is vóór de kerk rondjes aan het draaien en veel van haar schoolvriendinnen zijn ook van de partij. Ze giechelen en bespreken de 'voors' en 'tegens' van de jongens die op het ijs zijn. Rietje doet er niet aan mee, want zij wacht op

Leen. Als die zijn trainingsrondjes om het meer erop heeft zitten, komt hij met veel gekras bij haar tot stilstand.

Rietje denkt dat hij rechtstreeks van huis komt en is verbaasd dat hij op doorlopers rijdt, want zij wil nou juist gaan zwieren. 'Ik dacht dat we gingen zwieren,' zegt ze met een wat teleurgesteld gezicht, maar Leen helpt haar uit de droom.

'Ik heb er al een paar rondjes om het meer op zitten, maar ik ben jou niet vergeten, hoor!' Hij kijkt haar met een verliefde blik aan en beseft eens temeer wat een lief en mooi meisje Rietje geworden is. Met haar ronde, blozende gezichtje binnen de rand van haar bontmutsje, ziet zij eruit als een plaatje. Ze houdt van hem en hij van haar, en daar mag niemand tussen komen, ook de grote boer van Zwickezicht niet. 'We gaan lekker zwieren, Rietje. Kijk maar wat ik op mijn rug heb hangen. Ik neem ze altijd mee, want je weet nooit wie je op het ijs tegenkomt.' Het laatste zegt hij lachend, maar aan de manier waarop hij haar aankijkt, merkt zij wel dat zij voor Leen geen toevallige passant is.

Hij wisselt vlug van schaatsen en dan voelt zij een paar stevige armen om zich heen als ze hun eerste rondjes draaien. 'Het gaat lekker, hè?' zegt Leen tevreden en ze knikt. Ze zweeft in zijn sterke armen en voelt zich heerlijk. Zo zwieren ze nog een tijdje door, totdat ze dorstig worden. Dan trekt hij haar mee naar de koek-en-zopiekraam van Gijs Oostdam.

'Wat wil je drinken, Rietje?'

'Ik wil me aan de traditie houden en een beker lekkere zoete anijsmelk drinken.' Als klein kind al kreeg ze van haar vader een beker anijsmelk als ze op het ijs waren. Toen zat ze samen met Thijs op een grote slee die door haar vader of soms ook door Jaan geduwd werd. Thijs is nu te groot om op een slee rondgereden te worden, maar schaatsen kan hij ook niet. Wel zielig voor die jongen, maar het is niet anders. Hij weet ook niet beter en is tevreden met zijn werk bij de meelhandelaar.

Als Gijs twee bekers anijsmelk volgeschonken heeft, nippen zij van de zoete drank en kijken elkaar glunderend aan. 'Mis jij ook wat?' vraagt hij en zij begrijpt dan precies wat hij bedoelt, want bij een beker anijsmelk hoort een gevulde koek. Die bestelt hij dan ook.

'Je verwent me wel, hoor!' zegt ze zacht en ze kijkt hem zó verliefd aan dat hij een beetje dichter naar haar toe schuift.

'Ik krijg anders nooit de gelegenheid,' antwoordt hij en hij kijkt haar dan diep in haar mooie ogen. Nooit eerder heeft hij haar in zijn armen gehad en nooit eerder hebben ze zó dicht tegen elkaar aan gezeten.

'Jammer genoeg niet,' zucht ze en ze legt haar hand op zijn arm. Dat is voor Leen het teken om op te staan en voor te stellen een stil plekje op te zoeken. Ze knikt heftig, want ze beseft dan ineens dat de droom die zij had, werkelijkheid kan worden.

'Zullen we eerst een rondje om het meer schaatsen?' vraagt hij, maar zij kijkt bedenkelijk.

'Op mijn blokschaatsen kan ik geen lange afstanden rijden, hoor!'

'Ik sleep je wel,' lacht Leen overmoedig. In een geriefbosje vindt hij een lange sliet en daar mag zij zich aan vasthouden. Hij kromt zijn rug en dan merkt zij dat het schaatsen met een hand aan de sliet bijna vanzelf gaat. Er staat weinig wind dus zijn ze al vlug op het meer. In wijkjes liggen wat arken ingevroren. Die worden in de zomerdag benut door gegoede lui uit de stad.

'We gaan maar even uitblazen op een van de loopplanken,' stelt Leen voor. Zonder haar reactie af te wachten, stevent hij op een van de arken af en samen ploffen ze op de loopplank. 'Zo, daar zitten we dan. Als we doodvriezen, dan vriezen we dood!' lacht hij een beetje zenuwachtig. Ja, hij is wat gespannen, want het is vandaag zo'n vreemde dag. Ze zwieren in elkaars armen, zitten dicht tegen elkaar aan anijsmelk te drinken en nu zitten ze op de loopplank van een ark en niemand die hen ziet.

Hij slaat een arm om haar schouder en drukt haar zacht tegen zich aan. Zij legt haar hoofd op zijn schouder en zo zitten ze een poosje zonder iets te zeggen. Leen verbreekt het eerst het zwijgen en tilt haar hoofd op. 'Mag ik je mooie mond kussen, Rietje?' vraagt hij zacht.

Ze antwoordt niet, maar tuit haar lippen ten teken dat het goed is. Dan neemt hij haar vol in zijn armen en kust haar eerst bijna eerbiedig. Maar zij pakt dan zijn hoofd in haar beide handen en drukt haar mond stevig op de zijne.

'Houd je een beetje van me, Leen?'

'Een beetje? Ik ben stapelgek op jou.'

'Vreemd hè, Leen? Dat heb je nog nooit tegen me gezegd en je hebt me ook nog nooit gekust.'

'Eens moet de eerste keer zijn, lieveling.'

'Wat klinkt het fijn als je me "lieveling" noemt, Leen. Jij bent ook mijn lieverd, hoor!'

'Eerst waren we speelkameraadjes, toen begon ik je lief te vinden, nu houden we van elkaar en later gaan we trouwen.'

'Als dat maar lukt, lieverd. Ik heb je toch al gezegd dat mijn vader andere plannen met me heeft.'

'Daar moet je je niks van aantrekken.'

'Jij vergeet dat ik nog maar zestien ben. Ik moet dus nog een aantal jaren doen wat mijn vader zegt.'

'Dan wachten we tot je eenentwintig bent en dan gaan we trouwen, goed?'

'Ik zou niets liever willen, lieverd, maar je moet er niet te makkelijk over denken. Ik zal eerst mijn moeder eens polsen.'

'Heb je fijn geschaatst, Rietje?' vraagt moeder Clazien, als haar dochter met een stralend gezicht binnenkomt.

'Ja, heerlijk, moe. Ik heb gezwierd met Leen en we hebben samen ook een rondje om het meer geschaatst. Op blokschaatsen ging dat wat moeilijk, maar hij trok me voort aan een lange sliet.'

'Ben je de hele dag samen met Leen geweest?'

'Ja, Leen vindt me lief en ik hem ook, maar dat durf ik niet te vertellen als pa erbij is.'

'Dat moet je ook niet doen, meisje, want je weet dat pa niet zo blij is met jouw innige omgang met Leen.'

'Innig?' Rietje krijgt een kleur en ze kijkt haar moeder vragend aan.

'Je wilt me toch niet wijsmaken dat het niet zo is,' glimlacht Clazien.

'Nou ja, eh...' hakkelt Rietje. Ze weet niet goed hoe ze op de opmerking van haar moeder moet reageren.

'Je hoeft mij geen details te vertellen, hoor! Maar je moet niet te hard van stapel lopen, want je weet dat je vader andere plannen met jou heeft.'

'Een rijke boerenzoon trouwen.'

'Dat is in onze kringen gebruikelijk, kindje, zeker als het om de opvolging op de hoeve gaat. Pa was eerst zo blij met een zoon, maar toen hij na enkele weken hoorde dat er iets misgegaan was bij de geboorte en Thijs hem nooit zou kunnen opvolgen, stortte zijn wereld in.'

'En nou moet ik met een rijke boerenzoon trouwen die hier later zal kunnen gaan boeren. Leen zou hier toch ook kunnen gaan boeren!'

'Ten eerste is Leen geen boer en ten tweede brengt hij nauwelijks een cent binnen.'

'Wat maakt dat nou uit, moe? We hebben zelf toch genoeg geld.'

'Daar gaat het niet om. Wacht nou maar af met welke boerenzoon je vader aan komt zetten. Er zijn immers genoeg aardige jongens onder de welgestelde boeren. Net als zijn vader en trouwens ook mijn vader wil hij het familiekapitaal niet versnipperen, maar juist aanvullen.'

Rietje ziet aan het gezicht van haar moeder dat ze het daar zelf eigenlijk niet mee eens is, maar ze wil haar lieve moeder liever niet tegen vader opzetten. Ze is nog jong en er kan nog van alles gebeuren. Leen opgeven is het laatste waar ze aan denkt.

HOOFDSTUK 6

De ijspret is van korte duur, want het weer slaat om en er volgt natte sneeuw. Later gaat het weer licht vriezen en de sneeuw blijft vallen. Een harde, ijzig koude wind blaast de droge sneeuw op hopen. Langs sloten en achter obstakels ontstaan grillige vormen. Op Zwickezicht blijft er een dikke laag sneeuw liggen tussen de hooiberg en de stal. Voordat het hooi de deel op gesleept kan worden, moet die doorgang sneeuwvrij gemaakt worden. In alle vroegte gaan Jaap en Siem aan de slag, maar hun werk dreigt telkens ongedaan gemaakt te worden door de snijdend harde wind. Gelukkig is de dag ervoor voldoende hooi afgegooid, zodat ze de ergste sneeuw vóór kunnen blijven.

Als er voldoende hooi naar binnen gesleept is, kunnen ze gaan melken. In de tochtige doorgang was het ijskoud en dus zijn ze blij in de lekker warme stal te kunnen gaan melken. In de winter staan er veel koeien droog, dus kunnen Siem en Jaap het met hun tweeën makkelijk aan. Maar de overgang van de warme stal naar de tochtige doorgang buiten bezorgt Jaap een zware verkoudheid.

'Kruip jij maar onder de wol, Jaap,' adviseert Clazien, die de knecht zwaar hoort hoesten.

'Dat zal ik maar doen,' reageert de oude knecht dankbaar. Uit zichzelf haakt hij niet zo snel af, maar nu de boerin het zegt zal het wel goed zijn.

'Jaap liep zo te "blaffen" dat ik hem geadviseerd heb om maar onder de wol te kruipen. Hij zou nog een longontsteking oplopen. Je vindt het toch wel goed?'vraagt ze aan Siem.

111

'Natuurlijk! Ik had er zelf ook al aan gedacht, maar zolang Jaap het niet zelf nodig vindt, wie ben ik dan om het hem te zeggen.'

'Zal ik Rietje naar Anna sturen om te vragen of Leen kan komen helpen?' vraagt Clazien.

'Leen?'

'Ja, wie anders?'

'Er zijn toch genoeg andere jongens.'

'Dat zijn jongens die bij een aannemer werken en uitgevroren zijn, maar die kunnen niet melken.'

'Dat is wel zo.'

'Zal ik Rietje dan maar naar Anna sturen?'

'Ja, doe maar.' Het gaat bij Siem niet van harte, maar hij weet zelf ook niet zo gauw waar hij een jonge knul vandaan moet halen die kan melken.

'Hoe is het met Jaap?' vraagt Clazien als ze die middag in het daggeldershuisje van Jaap en Aagd Groot komt.

'Hij heeft de hele ochtend liggen hoesten,' zegt Aagd met een bezorgd gezicht. 'Hij heeft ook een beetje koorts. Ik hoop niet dat het een longontsteking wordt.'

'Zal ik Rietje vragen de dokter te waarschuwen?'

'Denk jij dat het nodig is, Clazien?'

'Voor iemand die de hele tijd ligt te hoesten en verhoging heeft, is de komst van de dokter geen overbodige luxe, Aagd.'

'Dan moet het maar.' Het is Clazien wel duidelijk dat de zorg van Aagd voor haar portemonnee bijna net zo groot is als de zorg voor haar man.

'Als je bij tante Anna bent geweest, loop dan meteen door naar de dokter, Rietje,' zegt Clazien als ze terug is op de hoeve. 'Hij moet even naar Jaap kijken, want die heeft het flink te pakken.'

'Ik ga er vandaag ook even heen nadat de dokter geweest is.'

'Doe dat, meisje, maar als je straks de deur uit gaat, kleed je dan warm aan, want anders vat jij ook nog kou.' Die morgen heeft Clazien haar zoon ook stevig ingepakt, want Thijs zou rustig in zijn werkkiel de deur uit gelopen zijn.

'Rietje!' zegt Anna als ze de dochter van Clazien ziet binnenkomen. 'Kom je zomaar even langs of heb je een boodschap?'
'Jaap ligt ziek te bed en daarom kom ik Leen vragen te komen melken en mesten.'
'Hij is in de schuur aan 't rommelen, ga hem zelf maar even roepen.'
'Lieveling! Wat fijn dat je even langskomt.' Leen slaat zijn armen om het meisje dat geen minuut van de dag uit zijn gedachten is en kust haar uitbundig. Rietje beantwoordt zijn innige kussen vol overgave en drukt zich stevig tegen haar jongen aan.
'Ik kom niet zomaar langs, maar ik heb een vraag.'
'Kom maar op, want jou kan ik niks weigeren.' Daarop vertelt ze hem wat er met Jaap gebeurd is en of hij wil komen melken en mesten.
'Elke kans om dichter in jouw buurt te zijn pak ik met beide handen aan, schat. Teun kan het nu in z'n eentje wel af.'
'Ik vind het ook erg fijn als je komt, lieverd, maar thuis moeten we voorzichtig zijn. De woordjes "lieveling", "schat" en "lieverd" moeten we even vergeten, want als pa die hoort, kun je meteen vertrekken.'
'Ik zal eraan denken, juffrouw.'
'Dat "juffrouw" hoeft nou ook weer niet,' lacht Rietje om de olijke snuit van haar lieve jongen.

Als dokter Vredevoort komt, constateert hij een zware verkoudheid met koorts, maar geen longontsteking. 'Maar hij moet in bed blijven en goed uitzieken. Hij mag pas weer gaan werken als hij helemaal genezen is. Ik kom af en toe wel even langs, want ik moet ook de boerin van Zwickezicht in de gaten houden. Die visites hoef je dan niet te betalen, vrouwtje,' zegt de arts glimlachend als hij het bedenkelijke gezicht van de vrouw ziet. Ze schenkt hem een dankbare glimlach. Hij weet dat arbeiders en knechten lang wachten met hem te waarschuwen, omdat ze geen geld hebben. Hij ziet vaak af van een honorarium en laat de rijke boeren wat meer betalen.

Aagd knoopt de adviezen van de dokter goed in haar oren en houdt Jaap onder de wol. De eerste weken heeft hij zelf trouwens geen fut om op te staan, want de koorts heeft hem danig verzwakt.

Rietje loopt af en toe even binnen om te zien hoe het met Jaap is, en Clazien brengt versterkende middelen, die door de dokter zijn geadviseerd. Siem besluit het weekloon van de zieke knecht gewoon door te betalen. Als kind zat hij al bij Jaap op z'n knie en mede daardoor heeft hij een zwak voor de oude en trouwe knecht.

Thijs wil ook vaak naar Jaap, maar die moet een beetje afgehouden worden, want hij is voor de zieke veel te druk.

Het blijft lang kwakkelweer, maar als de eerste lenteboden zich aandienen is Jaap alweer een poos aan de slag en kan Leen zich, samen met Teun de Laat, weer wijden aan de tuin. In het vroege voorjaar is er op de tuin veel werk, dus komt het goed uit dat Jaap weer op de been is. Voor Rietje is het naar, want nu ziet ze haar jongen niet meer elke dag.

Op de hoeve wordt het ook drukker. De weilanden kleuren weer groen en de eerste trekvogels komen uit verre warme landen gevlogen om hier te broeden en hun jongen te zien groeien, totdat ook zij op de wieken gaan en hun instinct volgen en het killer wordende Holland verruilen voor de warme streken in Afrika.

Vooral kievieten zijn er altijd vroeg bij. Als de zonnestralen nog in nevelsluiers gehuld zijn en de madeliefjes de gouden oogjes gesloten houden, rusten de kievieten nog een tijdje uit om te bekomen van de lange, vermoeiende vlucht. Een doffe loomheid nestelt zich in hun spieren en bewegingloos zitten zij naast elkaar op een grasheuveltje en sluimeren.

Als echter de nevelsluier aan de oostelijke lucht breekt en de zon met haar verwarmende stralen de sluimerende vogels doet ontwaken, wordt hun sombere gevederte in paarlemoeren schijn te glanzen gezet. Zij werpen hun stramheid af en reppen zich naar de oevers van de sloten. Daar vormen de talrijke insecten, slakken en wormen hun krachtige en zo lang ontbeerde ontbijt. Zijn zij voldaan, dan vangt het liefdesspel aan. Vol gratie achtervolgt het mannetje op rappe voet zijn gaaike en vertelt haar door koddige dans en sierlijke buiginkjes van zijn liefde. Dan stijgen beide op om in de hoge lucht het spel voort te zetten en in onnavolgbare wending en zwenking het tere lichaam op de ronde wieken om in dolle overmoedige valvlucht en buiteling weer de aarde te bereiken.

Van haar nest maakt de kieviet niet veel werk. Een kuiltje in het nog lage gras is voldoende. Daarin legt ze haar vier groen gespikkelde eieren en hoopt maar dat die door de vele predatoren ongemoeid gelaten zullen worden, waardoor het nageslacht zeker gesteld wordt.

Zoals de vogels en andere dieren in het voorjaar hun liefdesspel bedrijven, zo gebeurt dit ook bij de mens. De ene mens kan onbekommerd voor zijn liefde uitkomen, maar een ander mag er niet mee te koop lopen. Rietje en Leen moeten hun liefde voor elkaar geheimhouden. Vader Siem Rouveen is tegen de omgang van zijn dochter met de tuinderszoon. Hij heeft heel andere plannen met haar. De plannen van haar vader stroken echter niet met de opvattingen van Rietje zelf. Zij en Leen zien elkaar geregeld en ze worden steeds gekker op elkaar.

'Hoe was de naailes?' vraagt Leen als hij zijn meisje afhaalt bij het dorpshuis waar de oude schooljuffrouw Marja Roorda op woensdagavond de naailes verzorgt. Hij moet zich altijd verdekt opstellen, want hij weet evengoed als Rietje dat ze voorzichtig moeten zijn. Er wordt zó veel in het dorp gekletst dat hun omgang binnen de kortste keren op straat ligt als ze niet een beetje uitkijken.

'Zoals altijd,' antwoordt Rietje, 'maar voor mij was het toch een bijzondere avond,' vertrouwt ze haar jongen toe. 'Ik ben de afgelopen vrijdag met mijn vader meegereden naar de markt en heb toen in een winkeltje in de stad een mooie lap stof gekocht.'

'Wat ga je daarvan maken?'

'Het is een kleurrijke lap stof en ik heb uitgerekend dat ik er een mooie rok van kan naaien.'

'Die zal jou zeker goed staan, lieveling. Maar het maakt eigenlijk niet uit wat jij aantrekt. Zelfs in een jutezak zie je er nog leuk uit!'

'Dat zal ik maar niet proberen,' lacht ze, maar ze is wel blij met het compliment van de jongen van wie ze elke dag meer gaat houden.

'Wil je meteen naar huis of maken we nog een ommetje door het bos bij het meer?' vraagt Leen.

'Dat is goed, maar het mag niet te lang duren want anders gaat pa weer vragen stellen.'

'Vertrouwt hij je niet?'

'Ik weet het niet. Volgens mij verdenkt hij me ervan dat ik vaak contact met jou heb.'

'En dat heeft hij liever niet,' constateert Leen.

'Je vraagt naar de bekende weg, lieverd. Hoe vaak heb ik je al niet gezegd dat hij me wil koppelen aan de zoon van een rijke boer.'

'Als hij het maar uit z'n hoofd laat, want ik wil je aan niemand afstaan, ook niet aan de rijkste boerenzoon van het dorp.'

'Zover is het toch nog niet, lieverd,' zegt ze als ze al onderweg zijn naar het meer.

'En zover moet het ook niet komen, lieveling.' Hij kijkt haar met een vertwijfelde blik aan, want hij kent de gewoonten in de streek. Toch laat hij verder niets merken en hij trekt haar op zijn knie als hij een omgevallen boomstam ziet. 'Ik ken je mijn leven lang al, lieveling, en ik kan je echt niet meer missen. De knul die jou van mij afneemt, draai ik de nek om.'

'Niemand neemt mij van jou af, liever.' Zij wil haar jongen een beetje kalmeren, want hij gaat nu wel erg ver in zijn uitspraken. Ze schrikt er een beetje van. Leen is een lieve, zachte jongen en zo'n agressieve uitspraak past eigenlijk helemaal niet bij hem. Natuurlijk meent hij niet wat hij zegt en ze wijst hem dan ook terecht. 'Je moet niet meer zulke enge dingen zeggen, hoor! Ik schrik er echt een beetje van.'

'Neem me niet kwalijk, schatje, maar de gedachte alleen al dat je vader jou dwingt met een andere jongen te gaan verkeren, bezorgt mij nachtmerries.' Leen moet drie keer slikken om zijn emoties de baas te worden. Hij trekt haar onstuimig in zijn armen en overlaadt haar lieve ronde gezichtje met tientallen innige kusjes. Zij wil reageren op zijn onstuimige liefkozingen, maar zij krijgt de kans niet, want hij sluit zijn mond om de hare en kust haar inniger dan hij ooit gedaan heeft. Tranen blinken in zijn ogen, maar hij wendt zijn blik af om zijn lieve meisje niets te laten merken. Maar zij heeft het gezien en droogt zijn tranen met haar zakdoekje. Dan neemt zij zijn gezicht in haar handen en kust hem innig en lang op zijn mond.

'Maak je niet zo van streek, lieverd. Pa mokt wel, maar hij heeft nog nooit de naam van een jongen genoemd. Het zal echt zo'n vaart niet lopen.' Ze zegt het om haar jongen gerust te stellen, maar zelf moet ze terugdenken aan het laatste gesprek met haar moeder. Ze heeft toen gevoeld dat haar moeder niet echt achter haar eigen uitspraken stond, maar ze verwoordde wel de wil van vader Siem.

Clazien zelf is zich ook bewust van de dubbele rol die zij speelt. Ze begrijpt haar man en kent de gewoonten van de streek, maar zij heeft maar één wens en die is haar kind gelukkig te zien. Dat ze met Leen gelukkig wordt is voor haar een uitgemaakte zaak. Dat heeft ze duidelijk genoeg gemerkt toen zij laatst een indringend gesprek had met haar kind. Rietje is gek op de zoon van Anna en dat is andersom ook zo. Het enige wat er aan die jongen mankeert is de dikte van zijn portemonnee.

'Wat zit je te zuchten, vrouw, zit je iets dwars?' vraagt Siem die avond als hij met Clazien en Thijs in de huiskamer zit.

'Hoe kom je daar zo op, Siem?' vraagt ze.

'Nou ja, je zit zo te draaien. Het is net alsof je over iets wilt praten.'

'Hoe je dat in de gaten hebt weet ik niet, maar je hebt wel gelijk, er zit me wat dwars!'

'Waar gaat het over?'

'Over Rietje en Leen.'

'Wat is daar dan mee?' Siem zet zijn stekels al een beetje op, want door de jaren heen is hij het met Clazien over de omgang van Rietje met de tuinderszoon oneens geweest. Nu ze de leeftijd bereikt hebben waarop verliefdheden ontstaan, is voorzichtigheid helemaal geboden.

'Dat weet jij best, Siem. Het is je hopelijk toch niet ontgaan dat die twee gek op elkaar zijn?'

'Helaas lijkt dat erop, maar die twee zijn nog zó jong, dat we het maar niet serieus moeten nemen. Dat beweer jij immers al jaren. Jij weet evengoed als ik dat een onbemiddelde tuinderszoon geen geschikte partij voor onze dochter is, Clazien.'

'Dat is wel zo, maar Rietje is inmiddels wat ouder en ik zit er toch mee. Meisjes van haar leeftijd kunnen al best smoorverliefd zijn op een jongen.'

'Kalverliefde noemde jij het al eens. Daar moet je niet te zwaar aan tillen, meisje! Thijs kan mij niet opvolgen en dus moet Rietje voor een opvolger zorgen.'

Thijs zelf zit in de kamer waar zijn ouders in gesprek zijn en ook zijn naam noemen, maar het dringt niet tot de jongen door. Nee, Thijs is met een veel gewichtiger onderwerp bezig. Hij heeft op sinterklaasavond een verfdoos met penselen van Clazien cadeau gekregen en dat was een schot in de roos. Als hij zich verveelt, grijpt hij steeds weer naar de verfdoos. Hij haalt een bakje water om zijn penselen in uit te spoelen en maakt de wonderlijkste kleurplaten. Ze stellen niks voor, maar zelf is hij er erg trots op. Iedereen moet zijn kunstwerken zien, en als zij enthousiast reageren, staat hij te dansen van plezier.

Siem ziet het hoofdschuddend aan en kan nog steeds niet begrijpen dat zo'n grote en sterke knul zich gedraagt als een kleuter. Als Clazien haar jongen ziet dansen van plezier, komt er een zachte blik in haar ogen. De meest uiteenlopende stemmingen heeft ze al van Thijs meegemaakt. Van jongs af aan hangt hij als een klit aan haar. Zijn verstand is niet ontwikkeld, maar hij voelt wel wie er echt van hem houdt. Zij in ieder geval wel. Siem houdt ook op zijn manier van de jongen en zal nooit naar tegen hem doen, maar bij hem overheerst toch de teleurstelling. Als hij zich in de biechtstoel tegenover de pastoor beklaagt en hij de geestelijke vraagt waaraan hij en Clazien toch die straf van een ongelukkig kind te danken hebben, wijst de pastoor hem terecht. 'De bedoelingen van de Allerhoogste zijn niet te doorgronden, mijn zoon, maar de Heer geeft altijd kracht naar kruis.'

'Een dooddoener en gezemel van de pastoor,' zegt Siem als hij er met zijn vrouw over praat, maar Clazien neemt het op voor meneer pastoor.

'Je kunt wel gelijk terug naar de kerk gaan, Siem. Zo spreken over je biechtvader is een zware zonde, jongen. Echt een biechtpuntje, hoor!'

'Jij denkt toch niet serieus dat ik dat ga biechten!'

'Je zult wel moeten, want met zo'n zonde op je ziel kun je niet te communie.'

'Dat zal wel loslopen. Ik kan het niet eens gaan biechten, want ik heb er geen spijt van.'

'Dan moet je het zelf maar weten.' Zij gaat zuchtend verder met het werk waar ze mee bezig was, maar ze moet toch ook nog aan de uitspraak van meneer pastoor denken: 'De Heer geeft kracht naar kruis.' Is het hebben van een jongen als Thijs een kruis? Hij is achterlijk, maar voor de rest is hij recht van lijf en leden, en belangrijker nog is dat hij lief en aanhankelijk is. Ze houdt zielsveel van haar jongen. Een kruis is in haar ogen eerder het verzet van Siem tegen de omgang van Rietje met Leen. Ze is benieuwd met welke boerenzoon hij op de proppen zal komen als hij de tijd daartoe gekomen acht. Jammer dat vrouwen in dat soort zaken zo weinig te zeggen hebben, want het geluk van haar kind gaat boven geld.

Dat Siem het nu al tijd vindt met een rijke boerenzoon aan te komen, zal zij spoedig ervaren.

Voor de boeren van het dorp zijn er twee plaatsen waar ze geregeld contact met elkaar hebben. Dat is op het plein vóór de kerk en op de vrijdagse markt in de stad.

Naar de kerk gaan bijna alle dorpelingen, want het dorp is nagenoeg helemaal katholiek. Naar de markt gaan vooral de boeren. Hoe druk het ook in voorjaar en zomer is op de hoeven, de boeren beschouwen een bezoek aan de veemarkt min of meer als een uitje, een onderbreking van de dagelijkse sleur.

Op een van die vrijdagen spreekt Siem Rouveen er Chris Voort. Chris is een al wat oudere boer en hij vertelt dat hij voor zijn tweede zoon Gerrit een goede partij zoekt. Siem kent de samenstelling van het gezin van de vermogende en bevriende boer en weet dus dat Cors, de oudste zoon, zijn vader zal opvolgen.

'Het is me gelukt mijn twee dochters op mooie plaatsen te krijgen, Siem. Cors is de oudste en wil niet te lang wachten met het roer van mij over te nemen.'

'Hoe oud is Cors eigenlijk?' wil Siem weten.

'Die is over de dertig. Daarna volgen, zoals je weet, mijn twee dochters. Gerrit is een nakomertje. Zelf wil ik ook niet al te lang doorboeren, want de jaren beginnen te tellen.'

'Ik begrijp dat je Gerrit aan de vrouw wilt helpen als Cors jou opvolgt.'

'Dat heb je goed begrepen, Siem. Jouw Rietje zou een prima vrouw voor onze Gerrit kunnen zijn. Wat denk je ervan?'

'Rietje is nog wel erg jong, hoor!'

'Dat weet ik wel, maar van mijn vader heb ik geleerd dat je je keuze gemaakt moet hebben voordat de spoeling te dun wordt.'

'Dat was een wijs advies van je vader, Chris. De spoeling is al wel wat dun, want er zijn niet meer zo veel welgestelde boeren in ons mooie dorp.'

'Ik denk dat onze beide families qua welstand niet veel voor elkaar onderdoen, Siem.'

'Dat ben ik met je eens. Je hoort nog van me, Chris.' De beide boeren nemen met een stevige handdruk afscheid van elkaar, maar die handdruk is meer dan een vriendelijk gebaar. Die lijkt meer op de bezegeling van een afspraak.

'Ik had op de markt een interessant gesprek met Chris Voort, Clazien,' zegt Siem als hij thuiskomt.

'Waar ging dat gesprek dan over, Siem?'

'Over zijn jongste zoon en onze Rietje.'

'Oh!' Het is alsof Clazien een dolkstoot tussen haar ribben krijgt, want nu Siem zich uitgesproken heeft, weet ze dat het lot van haar lieve kind bezegeld is.

Op dat moment komt Rietje het achterhuis in om het eten op tafel te zetten, dus kunnen ze er niet verder over praten.

'We zullen het er vandaag nog wel weer over hebben, Clazien,' zegt Siem als Rietje weer naar de keuken is om samen met Jaan de rest van het eten te halen. Zijn dochter zonder enige inleiding confronteren met het verhaal gaat ook hem kennelijk te ver.

Clazien is er wel blij om, want nu krijgt zij de kans even te wennen aan het idee dat de enige vrijgezelle zoon van Chris en Hes Voort, de lelijke Gerrit, haar schoonzoon zal worden. Het is de gewoonte van rijke boeren dat zij van tijd tot tijd bij elkaar op visite gaan. Door haar zwakke gezondheid is daar de laatste jaren niet veel van gekomen, maar ze herinnert zich Gerrit van toen hij zo'n vijftien jaar oud was en destijds zat hij onder de jeugdpuistjes. Die puistjes zijn verdwenen, maar ze hebben wel putjes in zijn gezicht achtergelaten, waardoor hij nu een pokdalig uiterlijk heeft. Ze griezelt als ze hem vergelijkt met de knappe, donkere Leen Bovenkamp, maar ze kent al bij voorbaat de reactie van Siem als ze erover zou beginnen. Een gevleugeld gezegde van boeren in dergelijke situaties is dat je van een mooi bord niet kunt eten. Nee, voor boeren maakt mooi of lelijk niet uit, als de centen maar goed zitten. Voor een zacht en mooi meisje als Rietje maakt het wel degelijk uit. Clazien voorziet een drama, maar ze kan als vrouw en moeder niet veel doen. Boeren maken de dienst uit en boerinnen hebben in dit soort kwesties niets te vertellen. Zij ook niet! Ze mag de lekkerste kaas maken en kinderen baren tot ze er zelf bijna onderdoor gaat, maar de toekomst van diezelfde kinderen wordt bepaald door de vader, althans bij de rijke boeren. Naarmate de portemonnee dunner wordt, krijgen kinderen meer vrijheid hun eigen keuzes te maken.

Na het middageten kruipt Siem gewoonlijk een uurtje de bedstee in om wat slaap in te halen, maar deze keer ziet hij van die gewoonte af. Rietje is voor een boodschap naar het dorp en dus profiteert hij van haar afwezigheid door over het gesprek, waar hij vol van is, te praten met Clazien.

'Je weet dat Chris Voort al wat ouder is en de jaren beginnen volgens hem te tellen, waardoor hij niet meer zo goed uit de voeten kan. Daarom wil hij het roer overdragen aan zijn oudste zoon Cors.'

'Nu al?'

'Nee, dat hoeft natuurlijk niet op stel en sprong, maar als Cors gaat boeren op de hoeve van Chris, dan zit hij wel in zijn maag met Gerrit.'

'Waarom?'

'Knecht bij zijn broer zal Gerrit geen jaren volhouden, dus moet er tijdig een geschikte vrouw voor hem gevonden worden.'

'En die vrouw zou Rietje dan moeten zijn,' veronderstelt Clazien en Siem knikt.

'Erg veel welgestelde boeren van ons kaliber zijn er niet in ons dorp, Clazien. Chris Voort is er een.'

'Er zijn toch nog wel andere welgestelde boeren in het dorp, Siem?' Zij probeert de boot nog wat af te houden, maar Siem niet.

'Chris Voort vindt onze dochter een geschikte partij voor zijn zoon en zijn aanbod moeten wij met beide handen aangrijpen.'

'Het kind is nog geen achttien, Siem,' steunt ze.

'Dat heb ik Chris ook gezegd, maar hij had daar een goed antwoord op: "Je moet een keuze gemaakt hebben, voordat de spoeling te dun wordt", zei hij en daar ben ik het roerend mee eens.'

Clazien zegt niets, maar haar gezicht spreekt boekdelen.

'Je kijkt nou net of jij het er niet mee eens bent, Clazien. Heb jij dan een betere partij op het oog?'

'Heb jij Gerrit weleens goed bekeken, Siem?' vraagt ze. 'Ik vind hem op z'n minst niet erg aantrekkelijk voor een jong en mooi meisje als onze Rietje.'

'Wat heeft dát er nou mee te maken? Het is onze plicht een kapitaalkrachtige partij voor onze dochter te zoeken. Als ons die op een presenteerblaadje aangeboden wordt, dan moeten we die kans met beide handen aangrijpen. Dat zei ik al eerder, maar jij denkt aan heel andere dingen. Ik ken Gerrit als een flinke en hardwerkende jongen en voor mij is hij hier van harte welkom.'

'Kunnen we niet nog een tijdje wachten, Siem?' Ze probeert nog wat tijd te rekken, want ze weet al bij voorbaat dat Rietje zich een beroerte schrikt als haar vader met die onooglijke Gerrit Voort op de proppen komt.

Maar Siem schudt zijn hoofd. 'Chris Voort is er de man niet naar om aan het lijntje gehouden te worden, Clazien. Nee hoor! Ik ga Rietje vanavond al inlichten.'

Er hangt die avond een geladen sfeer in de huiskamer van Zwickezicht. Clazien zit stil in een hoekje en Siem zit voor zich uit te staren. Er wordt nauwelijks gesproken en voor-al dat valt Rietje op. Ze is bezig met een breiwerkje en het tikken van de naalden is het enige geluid in de huiskamer.

'Is er iets, moe? Jullie zijn zo stil.'

'Ja, er is iets, Rietje,' verbreekt vader Siem het zwijgen. 'Ik wil eens met je praten.'

'Waarover?'

'Wacht nou even, dan zal ik het je uitleggen.' Siem vertelt dan ook zijn dochter over de ontmoeting die ochtend met Chris Voort en dat die een geschikte partij voor zijn jongste zoon zoekt.

'Voor Gerrit?' Rietje zet grote ogen op en ze wordt bleek van angst. Pa zal haar toch niet willen koppelen aan die engerd van een Gerrit Voort? Hulpeloos richt ze haar blik op haar moeder, maar die haalt in een moedeloos gebaar haar schouders op.

'Ja, voor Gerrit, meisje. De familie Voort en onze familie doen in welstand niet veel voor elkaar onder, dus ben ik blij dat de keuze van vader Chris op jou gevallen is.'

'Maar ik ben daar helemaal niet blij om, pa.'

'Dat siert je niet, Rietje. Het is de plicht van je moeder en mij jouw toekomst zeker te stellen door je te laten trouwen met een vermogend man. Zo erg veel lopen er daarvan niet rond in het dorp, dus we moeten het voorstel van Chris Voort met beide handen aangrijpen.'

'Maar ik griezel van die Gerrit, pa.' De tranen schieten haar in de ogen, maar vader Siem is daar niet van onder de indruk. Moeder Clazien wel, maar zij kan niets doen. Zij heeft zielsmedelijden met haar kind.

'Als jullie langer met elkaar omgaan went dat allemaal wel, meisje. We kunnen het aanbod van Chris Voort toch niet afslaan, omdat jij Gerrit niet knap genoeg vindt.'

'Voor mij is dat wel een reden om het af te slaan.'

'Maar wat wil jij dan?'

'Mijn eigen keuze bepalen.'

'Daar ben je te jong voor, meisje. Op jouw leeftijd heb je misschien nog allerlei romantische ideeën, maar van rozengeur en maneschijn kun je niet rondkomen.'

'Wij hebben toch het geld van anderen niet nodig. U heeft zelf gezegd dat wij qua welstand niet onderdoen voor die van Voort.'

'Jij moet leren denken als een boerendochter, maar zolang je daartoe niet in staat of bereid bent, zullen wij de beslissingen voor je moeten nemen.'

'Vindt u dan ook dat ik met Gerrit zal moeten trouwen, moe?' Ze kan het zich niet voorstellen als ze haar lieve moeder met tranen in haar ogen ziet zitten.

'Je vader heeft het beste met je voor, kindje,' reageert Clazien met een rood hoofd. Ze kan de verkrampte blik van haar kind nauwelijks aanzien, maar zij kan ook haar man niet afvallen. In stilte hoopt ze dat er vroeg of laat een kink in de kabel komt, waardoor haar lieve kind een leven lang met die enge Gerrit bespaard zal worden. Rietje houdt van de knappe Leen Bovenkamp, maar moet gaan verkeren met die lelijke Gerrit Voort, die ze blijkens haar uitlatingen verafschuwt. Geld bezorgt mensen zo meer ongeluk dan geluk.

'Genoeg gepraat! We gaan bidden en slapen,' besluit Siem. Dat dat laatste er bij zowel Rietje als Clazien niet of nauwelijks van zal komen, staat wel vast.

Als Rietje eenmaal in bed ligt, kan ze nauwelijks meer helder denken. Ze is volkomen versuft door de uitspraken van haar vader. Ze zou aan de borst van Leen willen uithuilen, maar het duurt nog tot woensdag voordat ze hem weer ziet, als hij haar opwacht na de naailes.

Sedert Jaap Groot hersteld is van zijn ziekte die veel weg had van een longontsteking, springt Leen nog maar af en toe bij op de hoeve. Het lijkt wel of vader de laatste tijd bewust minder gebruik van Leen maakt. Altijd al wilde hij haar en Leen uiteendrijven, maar daar heeft hij nu wel een erg radicale wig voor gevonden. Gerrit Voort, slechter had ze het al niet kunnen treffen. Op school zat hij twee klassen hoger dan zijzelf en het was een opvallend lelijke jongen die bij de anderen niet erg in tel was. Dat vader met de zoon van een rijke boer zou komen aanzetten, had ze al min of meer verwacht, maar altijd heeft ze de hoop gehouden dat hij genoegen zou nemen met Leen. Hoewel ze weet dat boerinnen zich met dit soort zaken nauwelijks mogen bemoeien, had ze toch een stille hoop dat moe het wel zou doen. Dat ze het oneens is met de keuze van pa is haar duidelijk aan te zien, maar Rietje begrijpt ook wel dat moe tussen twee vuren zit.

Als in de vroege morgen de wekker rinkelt, heeft ze nauwelijks geslapen en haar kussen is nat van de tranen.

'Je moeder blijft nog wat in bed, Rietje, ze heeft erge hoofdpijn,' zegt Jaan als Rietje beneden komt. 'Heb jij wel goed geslapen? Je ziet bleek en je ogen zijn helemaal rood.'

'Nee Jaan, ik heb de hele nacht gehuild.' Weer breekt ze in snikken uit en als Jaan haar tegen zich aantrekt, snikt ze haar intense verdriet uit aan de borst van de oude meid, die sedert haar geboorte als een tweede moeder voor haar geweest is.

'Wat is er nou, meisje?' vraagt Jaan bezorgd.

'Pa heeft me gisteravond verteld dat ik moet trouwen met die lelijke Gerrit Voort.' Opnieuw drukt ze haar hoofd tegen de smalle borst van de oude Jaan Tamman, die schrikt van die mededeling. Helaas kan ze in dit soort familiekwesties geen standpunt innemen, maar ze heeft te doen met het meisje, dat ze ook een beetje als haar kind beschouwt.

'Laten we maar aan het werk gaan, Rietje, ik kan je echt niet helpen.' Moedeloos laat ze haar armen zakken en ze trekt Rietje mee naar de pomp, opdat die haar gezicht wat kan opfrissen.

Na nog een aantal half doorwaakte nachten is het dan eindelijk woensdag. Die avond ziet ze Leen weer. Na afloop van de naailes staat hij, zoals gewoonlijk, op haar te wachten.

'Het is mooi weer, schatje, zullen we een klein ommetje langs het meer maken?'

'Ja, dat is goed,' zegt ze, maar tegelijkertijd barst ze in snikken uit.

'Wat is er nou?' Leen schrikt van het plotselinge verdriet van zijn lieve meisje.

'Laten we maar gauw de stilte opzoeken,' snikt ze en ze trekt hem bijna mee. Te lang heeft ze haar verdriet zonder haar lieve jongen moeten verwerken. Ze verlangt ernaar haar verdriet met hem te delen, want ook hij zal het moeilijk krijgen.

Omdat ze dezelfde route al zo vaak samen gelopen hebben, kennen ze elk plekje waar ze ongezien wat kunnen kussen en knuffelen.

'Vertel me nou maar wat je dwarszit, lieveling,' zegt Leen als ze op een omgevallen boomstam neerploffen.

'Pa heeft me vrijdagavond verteld dat ik met Gerrit Voort moet trouwen.' Bij de gedachte alleen al klampt ze zich vast aan de jongen die ze niet kan missen.'

'Gerrit Voort?' Iedereen in het kleine dorp kent elkaar, dus kent Leen ook de rijke boerenzoon.

'Ja, met die lelijkerd moet ik trouwen. Dat is toch afschuwelijk, lieverd!'

'Is hij al bij jullie thuis geweest?'

'Nee, nog niet, maar dat zal wel gauw gebeuren, misschien aanstaande zondag al.'

'Het risico zat er altijd al in, maar nu het echt gaat gebeuren kan ik het bijna niet geloven. Ik ben er kapot van, schatje.' Leen trekt zijn lieve meisje wild in zijn armen en dan kussen ze elkaar lang en innig.

'Ik kan niet te lang wegblijven, lieverd.' Zij zou wel de hele nacht bij haar lieve jongen willen blijven, maar ze moet op tijd thuis zijn.

'Qua welstand kan ik niet tegen die Gerrit op, schatje, maar ik geef de moed niet op. Jij bent nog lang niet met die vent getrouwd en als het aan mij ligt, komt het ook nooit zover. Laten we ons daaraan vastklampen. Komt tijd, komt raad!'

Leen wil zijn lieve meisje een hart onder de riem steken, maar beseft tegelijkertijd dat zijn hoop nergens op gebaseerd is.

'Scheelt er iets aan, jongen? Je bent zo stil.' Op haar beurt wordt Anna Bovenkamp geconfronteerd met het verdriet van haar kind.

'Rietje Rouveen moet gaan verkeren met Gerrit Voort, de jongste zoon van de rijke boer Chris Voort.'

'Van wie moet dat?'

'Van haar vader.'

'Ik weet dat jij en Rietje het erg goed samen kunnen vinden. Dat is al zo vanaf jullie jeugd, maar je kon weten dat de vader van Rietje ooit met een rijke boerenzoon voor haar aan zou komen.'

'Maar ik wil het niet, moe, en Rietje ook niet. Ze is er helemaal door van streek. Toen we vanavond samen in het bos bij het meer zaten, snikte ze, en zó verdrietig heb ik haar nog nooit gezien.'

'Ik zie dat jij er ook door van streek bent, jongen.'

'Wat dacht je, moe? Rietje is het liefste meisje dat ik ken en nu wordt ze me afgepakt door die lelijke Gerrit Voort.'

Het was na de plotselinge dood van Henk dat haar jongen zat te snikken van verdriet. Nu gebeurt dat weer. Hij is te oud om hem weer aan haar borst te trekken, maar ze heeft met haar kind te doen. Maar niet alleen met haar kind, ook met Rietje. Zo'n mooi en lief meisje wordt uitgehuwelijkt aan een rijke boerenzoon om wie ze niets geeft en die volgens Leen een lelijkerd is.

'Ken jij Gerrit Voort, moe?' vraagt Leen.

'Ik heb hem weleens in de kerk gezien, maar ik heb nooit speciaal op hem gelet.'

'Vroeger had hij allemaal jeugdpuisten en nu heeft hij een pokdalig gezicht. En met hem moet Rietje trouwen.' Hij verbergt zijn gezicht in zijn handen en zijn schouders schokken.

'Lelijk of knap speelt bij boeren geen rol, jongen. De boer van Zwickezicht is niet beter of slechter dan zijn voorgangers. Alle boeren wilden en willen hun kapitaal niet versnipperen. Wij hebben geen geld, en voor rijke boeren komen onze kinderen eenvoudigweg niet in aanmerking om met hun kinderen te trouwen, hoe gek ze ook op elkaar zijn.'

Dat Leen en Rietje gek op elkaar zijn, heeft ze allang gemerkt. Vroeger was het kinderspel, maar de laatste tijd kunnen ze geen oog van elkaar afhouden. Dat moet Siem ook in de gaten gehad hebben en dus heeft hij tijdig voor een rijke boerenzoon gezorgd.

Ze kan zich best voorstellen dat Rietje verliefd geworden is op haar zoon. Het is een knappe knul. Ze is er best een beetje trots op dat hij op haar lijkt. Toen zij jong was, kon ze aan elke vinger wel een jongen krijgen. Gek genoeg was ze eerst verliefd op Siem Rouveen, maar ze begreep dat dat te hoog gegrepen was. Een keertje kermis houden kon nog net. Ze is uiteindelijk gelukkig geworden met Henk Bovenkamp. Ze hoopt maar dat Leen Rietje zal kunnen vergeten en later trouwt met een lief meisje, met wie hij ook gelukkig wordt. Dat hoopt ze ook voor Rietje, maar ze heeft haar twijfels.

Die zondagavond maakt Gerrit Voort zijn opwachting op Zwickezicht. Voor Rietje is er wederom een slapeloze nacht aan voorafgegaan. Ze moet lief doen tegen een jongen die ze verafschuwt.

'We hebben even gewacht met de koffie, Gerrit. Wees welkom en maak het je gemakkelijk. Ik ben blij dat je gevolg hebt gegeven aan het verzoek van je vader.'

'Dat was niet zo moeilijk, Rouveen. De hand van je dochter grijp ik, met jullie goedvinden, met beide handen aan.' Met een gruizige blik kijkt hij naar Rietje. Hij is verguld dat zijn vader het met de boer van Zwickezicht eens geworden is.

Toen zijn vader met het voorstel kwam, overdonderde hem dat een beetje. Rietje Rouveen nog wel! Een paar jaar jonger dan hijzelf en bloedmooi.

Rietje zelf is niet zo verguld met de komst van Gerrit Voort. Ze heeft even geknikt toen hij binnenkwam en is voor de koffie gaan zorgen. Voor de gelegenheid komt ook de koektrommel op tafel. Koekjes die ze de dag ervoor bij de bakker gehaald heeft.

'Iets te vieren, Rietje?' vroeg de bakkersvrouw argeloos, maar Rietje schudde haar hoofd. Ze wilde de vrouw niet vertellen wat er werkelijk aan de hand is. Nee, een feest is het bezoek van Gerrit voor haar zeker niet.

Als ze de koffie heeft ingeschonken en er een koekje bij gepresenteerd heeft, gaat ze weer door met haar breiwerkje. Ze is blij dat pa met Gerrit praat, want zelf weet ze niet wat ze moet zeggen. Ook moeder Clazien is stil. Nu ze Gerrit weer van dichtbij ziet, groeit het medelijden met haar kind. Zijzelf was nooit verliefd op Siem, maar het was een frisse en knappe knul en bovendien was en is hij erg zorgzaam. Naar toch dat hij zo vastgeroest zit aan de oude boerentraditie je kinderen aan de zonen of dochters van welgestelde boeren te koppelen.

Als het voor Gerrit tijd wordt om op te stappen, krijgt Rietje het al bij voorbaat benauwd.

'Blijf je een bord pap mee-eten, Gerrit?' vraagt Siem, maar Gerrit schudt zijn hoofd.

'Ik eet thuis wel pap, want meteen daarna gaan we bidden en naar bed.'

'Dat doen wij ook,' zegt Siem, en tot Rietje: 'Laat jij Gerrit even uit?'

Met lood in haar schoenen gaat ze met Gerrit mee naar de buitendeur. 'Dag hoor!' zegt ze, maar dat is tegen de zin van Gerrit.

'Gaat dat zo droog, Rietje? Je bent nu toch mijn meisje!'

131

Ze zou het willen uitschreeuwen dat dat niet zo is, maar ze ontkomt er niet aan de jongen die ze verafschuwt een zoentje op zijn pokdalige wang te geven. Gelukkig dringt Gerrit niet verder aan, maar hij heeft nog wel een verzoek. 'Vind je het goed dat ik je volgende week zondag na de mis aan mijn ouders voorstel?'

'Je hoeft me toch niet meer voor te stellen? Je ouders kennen mij al jaren.'

'Dat weet ik wel, maar ik wil je zondag na de mis graag bij mij thuis op de hoeve ontvangen. Vóór het eten breng ik je dan weer met de kapwagen naar huis. Goed?'

Rietje kan niet anders dan knikken en als hij weg is, rent ze snikkend naar de pomp om haar mond te spoelen. Ze walgt van die Gerrit.

'We gaan pap eten, bidden en ook naar bed, meisje,' zegt Clazien zacht. Ze ziet aan het gezicht van haar kind dat ze helemaal van streek is.

'Ik hoef geen pap, moe. Mijn avondgebed bid ik wel op mijn kamer.'

'Dat is goed, hoor! Probeer maar een beetje te slapen.' Ze begrijpt heel goed dat haar dochter na deze zenuwslopende avond alleen wil zijn. Vragen stellen heeft geen zin, want de antwoorden kent ze al.

'Het went wel,' zegt Siem die avond nog, maar Clazien heeft haar twijfels.

HOOFDSTUK 7

'Doe de ouders van Gerrit maar de groeten van ons,' zegt Siem Rouveen als Rietje die zondag uit de kapwagen vóór de kerk stapt. Ze zal na de mis niet met haar ouders mee teruggaan naar Zwickezicht, maar meerijden met de kapwagen van de familie Voort. Na het eerste bezoek van Gerrit aan Zwickezicht moet zij nu haar opwachting maken bij diens ouders.

Zoals het rijke boeren betaamt, zit zowel de familie Rouveen als de familie Voort helemaal vóór in de kerk. Rietje zit niet ver van Gerrits moeder, Hes Voort, af. Gerrit zelf zit met zijn vader Chris aan de mannenkant van de kerk. De mannen hebben elkaar al eens vriendelijk toegeknikt, want nu ze zo goed als familie zijn, moeten de banden nog wat steviger aangehaald worden.

Rietje kijkt strak voor zich uit. Ze is gespannen en ondergaat de mis als in een roes. Een bezoek aan de familie Voort bestaat uit opzitten en pootjes geven. Haar roes wordt enigszins doorbroken als ze te communie gaat. Neergeknield op de communiebank met haar handen onder de witte dwaal ontvangt zij uit handen van meneer pastoor de hostie op haar tong. Met de handen tegen elkaar en het hoofd licht gebogen loopt ze terug naar haar plaats. Ze knielt, houdt haar handen voor haar gezicht en bidt. Ze vraagt Onze Lieve Heer haar te verlossen van die akelige Gerrit, maar ze gelooft niet echt dat haar gebed verhoord zal worden. Ze wordt aangestoten door haar moeder als ze te lang blijft mediteren. Alle anderen zijn al gaan zitten en hebben weer aandacht voor het vervolg van de dienst.

Op andere zondagen is ze blij als de mis afgelopen is, want dan gaan ze naar huis en daar is het gezellig. Bij de koffie eten ze een sneetje van het zelfgebakken krentenbrood en na de koffie drinkt vader Siem zijn zondagse borreltje, terwijl de vrouwen vergast worden op een 'zoetslokkie'.

Deze zondag moet ze met Gerrit mee naar zijn huis. Ze laat het allemaal maar over zich heen komen en ze knikt als haar moeder haar zachtjes 'sterkte' wenst.

Noordhoek is de naam van de hoeve waar Gerrit met zijn ouders woont. Voor Rietje is het geen vreemd terrein, want als kind is ze er vaak met haar ouders geweest. Door de zwakke gezondheid van haar moeder is het er de laatste jaren niet van gekomen om bij de familie Voort op bezoek te gaan.

'Dat is een aardig poosje geleden, Rietje,' zegt Hes Voort als ze haar aanstaande schoondochter in Noordhoek verwelkomt. Ook vader Chris verwelkomt haar en spreekt de hoop uit dat ze nog maar vaker te gast zal zijn na de zondagse kerkdienst.

Rietje knikt en gaat gespannen op het puntje van haar stoel zitten. Gerrit is buiten bezig met het uitspannen van het paard en het wegzetten van de kapwagen. Als hij binnenkomt, kijkt hij zijn ouders met een trotse blik aan en ze knikken hem dan goedkeurend toe.

Evenals thuis wordt ook hier na het ontbijt koffiegedronken. Het is voor boeren, die ook 's zondags voor dag en dauw opstaan, een hele opgave uren na het begin van hun dag pas te kunnen ontbijten, maar het is niet anders. Met een volle maag kunnen ze niet te communie.

Er wordt wat nagepraat over de preek van meneer pastoor, maar Rietje kan niet deelnemen aan het gesprek, want de woorden van de herder van de parochie zijn niet tot haar doorgedrongen.

Als Gerrit lachend vertelt wat hij de vorige zondag op Zwickezicht heeft meegemaakt met Thijs, klapt Rietje helemaal dicht. Wát een verschil met die lieve Leen Bovenkamp, die alles van Thijs verdraagt en hem nooit uitlacht.

Ze is blij als het bezoek erop zit en Gerrit haar terugbrengt naar Zwickezicht. Ook nu weer rekent hij op een afscheidszoentje, maar voordat hij er erg in heeft, is zij al bij de ingang van de hoeve en zwaait ze alleen nog even voordat ze de deur sluit.

Terwijl Gerrit met Rietje onderweg is naar Zwickezicht hebben Chris en Hes Voort de gelegenheid nog wat na te praten.

'Rietje zag er allesbehalve vrolijk uit, Chris,' zegt Hes. 'Ze heeft bij elkaar geen tien woorden gezegd.'

'Och, ze was wat verlegen, moet je maar denken. De eerste keer bij je aanstaande schoonouders op bezoek komen is voor een jong meisje best spannend,' vindt hij.

Maar Hes heeft een andere mening, die ze maar wijselijk voor zich houdt. Ze is blij dat haar zoon Cors en dochters Mientje en Gonda het beter getroffen hebben. Rietje taalt niet naar Gerrit, erger nog, ze probeert zijn blik te mijden. Wat moet dat worden? Ze ziet zelf ook wel dat Gerrit niet erg aantrekkelijk is voor een jong en knap meisje als Rietje. Er gaan geruchten dat ze nogal veel omgegaan is met de zoon van de verdronken tuinder Henk Bovenkamp. De zoon kent ze nauwelijks, maar Henk kende ze des te beter. Vroeger was Henk een knappe en geestige knul en hij was erg gezien bij de meiden van haar leeftijd. Zelf vond ze hem ook erg aantrekkelijk, maar zij werd gedwongen te trouwen met de veel oudere Chris Voort. Als dochter van Barend van Tongeren hoorde zij op stand te trouwen. Ze was jaloers op Anna Karels die uiteindelijk met Henk trouwde. Ze vond dat destijds wel wat vreemd, want Anna had altijd veel oog voor Siem Rouveen. Het was een knappe meid, maar ze kwam niet uit een rijk nest en dus was ze voor de vader van Siem geen geschikte partij.

Toen ze hoorde van het tragische ongeluk van Henk was ze wel een dag van slag. Ze kan zo goed begrijpen dat Rietje, als ze echt intieme omgang heeft met Leen Bovenkamp, doodongelukkig moet zijn met de haar opgedrongen verkering. Ze gunt haar zoon alle goeds, maar of hij met een liefdeloze vrouw gelukkig zal worden, betwijfelt ze.

De verkering tussen Rietje en Gerrit wordt een sleur. De ene zondag komt Gerrit bij haar en de volgende zondag gaan zij na de mis bij zijn ouders op de koffie. Het afscheid ondergaat Rietje telkens weer als een kwelling. Naarmate de verkering langer duurt, wordt Gerrit vrijpostiger. Zijn kleffe zoenen op haar mond vindt ze smerig, maar hij betast haar met zijn harde handen ook op plaatsen waar zij het niet wil. Hem afhouden lukt haar nauwelijks, want het is een sterke beer.

Als hij weer een keer zo bezig geweest is, komt ze met een rood hoofd de kamer binnen. Haar vader is gaan afsluiten, zodat ze gelegenheid heeft haar nood bij moeder Clazien te klagen.

Het huilen staat haar nader dan het lachen en ze vraagt haar moeder of het wel normaal is wat die Gerrit allemaal doet. 'Hij betast me op plekken waar ik het niet wil, moe,' pruilt ze. 'Dat heeft Leen nog nooit gedaan!'

'Je moet hem dan maar duidelijk zeggen dat je daar niet van gediend bent, meisje,' reageert Clazien en meer dan ooit heeft zij met haar kind te doen.

Een schrale troost voor Rietje is dat ze Leen weer even stiekem kan ontmoeten als hij haar opwacht na de naailes. Ze vinden dan een plekje waar niemand hen ziet en waar ze samen weer eens kunnen kussen en knuffelen. Dat niemand iets ziet of niets in de gaten heeft, is voor zowel Leen als

Rietje een vrome wens. Gonda Voort, de jongste zus van Gerrit zit ook op naailes en zij vindt het vreemd dat Rietje na de les altijd in de richting van het meer loopt en niet rechtstreeks naar Zwickezicht, wat de tegenovergestelde richting is. Ze maakt er thuis een opmerking over en de argwaan van Gerrit is gewekt.

De volgende woensdagavond stelt hij zich op in de buurt van het dorpshuis en volgt ongezien zijn meisje op een afstand. Dan ziet hij dat ze Leen Bovenkamp ontmoet en dat ze elkaar hartstochtelijk kussen. Zo kust ze hem nooit en hij is razend van jaloezie. Hij zint op wraak, maar wacht tot zijn rivaal alleen is.

'Hoe haal jij het in je gore kop om met mijn meisje te vrijen, lummel?' briest hij.

Leen schrikt van de plots opdoemende boerenzoon, maar bang is hij niet. 'Over een gore kop gesproken... Heb jij zelf weleens in de spiegel gekeken?'

'Houd je praatjes voor je, man! Je blijft van mijn meisje af!'

'Jóúw meisje? Laat me niet lachen, man. Rietje houdt van mij en verafschuwt jouw lelijke kop!'

'Zo is het genoeg!' brult Gerrit en in blinde drift slaat hij Leen waar hij hem maar raken kan. Leen kan niet tegen de woedende boer op. Die is een kop groter en heeft handen als kolenschoppen.

Onbewust van het pak slaag dat Leen van Gerrit gekregen heeft, komt Rietje die avond thuis. Terwijl ze haar naaispullen opbergt op haar kamertje, staat haar vrijer in het achterhuis. Siem, die net wil gaan afsluiten, kijkt vreemd op als hij plotseling midden in de week zijn aanstaande schoonzoon met een verwilderde blik tegenkomt.

'Wat is er met jou aan de hand, Gerrit?' vraagt hij. 'Je ziet eruit of je onderweg een geest bent tegengekomen.'

Gerrit slikt zenuwachtig en knikt. 'Een geest was het

niet, maar je dochter stond bij het meer te vrijen met Leen Bovenkamp. Ze bedriegt me, Rouveen!'

'Rustig, Gerrit.'

'Hoe kan ik daar rustig onder blijven? Die tuinder heb ik alvast een flink pak rammel gegeven. Ik hoop dat hij zijn lesje geleerd heeft. En ook je dochter heeft schuld, misschien nog wel meer dan die tuinder.'

Terwijl Gerrit totaal overstuur zijn relaas doet, komt Rietje nietsvermoedend beneden. Ze schrikt van de aanwezigheid van Gerrit.

'Jij hebt me heel wat uit te leggen, Rietje! Ik pik het niet dat jij stiekem staat te vrijen met Leen Bovenkamp, terwijl wij verkering hebben,' schreeuwt hij haar toe.

Siem kalmeert hem.

'Ik zal met mijn dochter praten, Gerrit. Maak je niet verder van streek en ga naar huis. Je kunt erop rekenen dat ik maatregelen zal nemen om in de toekomst te voorkomen wat er vanavond gebeurd is.'

Rietje staat te trillen op haar benen en kijkt haar vader met grote angstogen aan. Ze begrijpt dat Gerrit haar met Leen betrapt heeft en woedend is over hetgeen hij gezien heeft. Ze is blij dat hij doet wat vader zegt en naar huis gaat.

'Ga jij maar naar de kamer, Rietje. Wij moeten eens heel duidelijke afspraken maken.'

'Wat was dat voor tumult?' vraagt Clazien als Rietje bleek als een doek de kamer in komt.

'Gerrit heeft me vanavond met Leen betrapt,' snikt ze. Hoe Gerrit wist dat zij Leen bij het meer zou ontmoeten is haar een raadsel, maar iemand moet hem gewaarschuwd hebben.

Op dat moment komt vader Siem de kamer in en hij is nijdig. Dat is hem aan te zien, want als hij zijn kin naar voren steekt, weten de huisgenoten dat er iets gebeurd is wat hem erg kwaad gemaakt heeft.

'Wat moest jij met Leen bij het meer doen?' wil hij van zijn dochter weten.

'Ik had hem een poos niet gezien en wilde even met hem praten,' tracht Rietje zich te verdedigen, maar daar trapt vader Siem niet in.

'Praten? Volgens Gerrit stond je met Leen te vrijen. Of wil je me soms wijsmaken dat Gerrit ongelijk heeft?'

'Ik kan Leen niet missen, pa, begrijp dat toch!' Het komt er bij haar uit als een noodkreet, maar Siem schudt zijn hoofd.

'Jij mag Gerrit niet bedriegen! Met Leen heb je niets meer te maken.' Het is een hard oordeel en Rietje buigt haar hoofd. 'Maar ik ben nog niet klaar met je,' zegt hij. 'Jij moet maar stoppen met het volgen van die naailessen, dan blijf je 's avonds thuis en kunnen wij je in het oog houden.'

'Siem, je gaat te ver.' Clazien heeft zich tot dusverre stil gehouden, maar nu wil haar man van zijn kind een soort gevangene maken.

'Hoezo te ver?' wil Siem van zijn vrouw weten.

'Je kunt Rietje niet verbieden naailessen te volgen. Als zij belooft meteen na de les naar huis te komen, dan moet dat voor ons voldoende zijn.'

'Jij je zin, maar dat gedonder met Leen Bovenkamp moet afgelopen zijn. Leen zal zijn lesje inmiddels wel geleerd hebben, want Gerrit heeft hem een flink pak rammel gegeven.' En tot Rietje: 'Ben jij bereid te beloven dat je na de naailes meteen naar huis komt?'

'Ja,' zegt ze timide. Dankzij haar moeder kan ze op woensdagavond gewoon naar de naailes en dan is een korte ontmoeting met Leen niet uitgesloten. Maar ze schrikt ervan dat Leen klappen van Gerrit opgelopen heeft. Voor die lompe Gerrit is Leen geen partij. Ze hoopt maar dat hij haar jongen niet te erg heeft toegetakeld, maar als ze hem na de afstraffing door Gerrit gezien had, dan zou ze wel erg geschrokken zijn.

Wie ook erg schrikt, is Anna. Met een gezwollen lip en een bebloed gezicht komt Leen die avond thuis.

'Wat is er met jou gebeurd, jongen?' vraagt ze als ze hem ziet en ze haalt vlug een doek om het bloed weg te vegen.

'Ik heb me gestoten,' zegt Leen. Hij wil zijn moeder liever niet vertellen wat er die avond allemaal voorgevallen is. Maar Anna laat zich niet met een kluitje in het riet sturen.

'Je zegt maar wat, Leen. Volgens mij heb je gevochten en nou wil ik graag weten met wie.'

'Nou ja, als je het per se weten wilt: ik kwam Gerrit Voort tegen, nadat ik even had staan praten met Rietje.'

'En kregen jullie daardoor ruzie?'

'Die pummel kan de zon niet in het water zien schijnen. Volgens mij is hij zo jaloers als een aap.'

'Zag hij jullie samen?'

'Dat zal wel.'

'Jullie deden volgens mij wel wat meer dan gewoon praten, Leen,' veronderstelt Anna.

'We namen met een zoentje afscheid van elkaar.'

'Dat moet die Gerrit gezien hebben, anders had hij jou niet zo toegetakeld. Je moet accepteren dat Rietje Rouveen voor jou te hoog gegrepen is, jongen. Wij hebben weinig geld en de vader van Gerrit zwemt erin.'

'Wij kunnen elkaar niet missen, moe!' Het komt er als een noodkreet uit. En als dan zijn ogen vochtig worden, beseft ze dat haar jongen het erg moeilijk heeft. Het pak slaag deert hem kennelijk niet, maar de gevolgen wel.

'Ga maar slapen, jongen. Ik zal een handdoek op je kussen leggen, want je wondjes kunnen weer gaan bloeden. Ik doe er ook wat zalf op, maar dan moet je er niet aan gaan krabben.'

Met een kort 'truste' gaat hij naar zijn kamer, maar van slapen komt vooreerst niets. Nu zij door Gerrit betrapt zijn, zal het in de toekomst steeds moeilijker worden elkaar stiekem te ontmoeten. Hij piekert zich suf hoe dat toch kan lukken zonder dat iemand het in de gaten heeft. Hij komt er niet uit, en na nog uren wakker gelegen te hebben, valt hij eindelijk in slaap.

Ook op Zwickezicht zijn ze over de misstap van Rietje nog niet uitgepraat. Na het avondgebed waarin Siem de hulp van God inroept om zijn dochter op het rechte pad te houden, gaat Rietje naar bed. Siem en Clazien praten nog even door.

'Dacht ik die twee goed uit elkaar te houden door Leen niet meer in te schakelen, en nou dit weer,' zucht Siem.

'Maar naar mijn mening mist Jaap hem wel en valt het werk hem steeds zwaarder,' meent Clazien en Siem knikt.

'Het lijkt wel of Jaap sinds zijn ziekte van de afgelopen winter meer moeite heeft met het werk. Het zal nodig zijn voorlopig een losse knecht in te huren. Dan moet het maar wat meer kosten, want Jaap korten wil ik niet. Hij is ooit door mijn vader aangenomen en ik kan die man gewoonweg niet aan zijn lot overlaten.'

'Dat siert je, jongen,' zegt Clazien en ze meent wat ze zegt, maar ze heeft er toch een dubbel gevoel bij. Jaap ontziet hij en terecht, maar zijn eigen dochter stort hij in het ongeluk door haar te koppelen aan die lelijke Gerrit. Hij zou haar zelfs weg willen houden van de naailes, maar gelukkig heeft ze dat kunnen voorkomen. Ze begrijpt zo goed dat haar kind troost zoekt bij de jongen van wie ze houdt.

Zelf houdt ze ook van Leen, want het is een lieve jongen. Ze merkt aan Thijs dat hij hem mist. Gerrit neemt zeker diens plaats niet in, want hij plaagt de jongen en lacht hem uit. Thijs mijdt hem dan ook zo veel mogelijk.

Jaap Groot kan met zijn bijna zeventig jaren geen zwaar werk meer aan, maar dat geldt ook voor Jaan Tamman, die even oud is als Jaap. Siem heeft het weleens gekscherend over 'ons oudeliedenhuis'. Maar zo goed als Jaap wordt ontzien, gebeurt dat ook met Jaan. Ze zijn niet alleen even oud, maar ze zijn ook bijna tegelijkertijd door de ouders van Siem aangenomen.

Op een grote hoeve als Zwickezicht moet veel werk verzet worden, maar degenen die het werk moeten doen zijn niet fit genoeg, althans, een deel van hen. Door alle gedoe met Rietje zit Clazien ook niet meer goed in haar vel, dus zint ook zij op extra hulp.

'Jij wilt hulp om Jaap te ontlasten, maar ook ik heb een extra hulp nodig om hetzelfde met Jaan te doen, Siem,' zegt ze. 'Het plichtsbesef van Jaan is erg groot en daardoor neemt het goeie mens te veel hooi op haar vork.'

'Nou, er zijn diensboden genoeg die op Zwickezicht willen komen werken, dus wat let je er een aan te nemen? Wat voor Jaap geldt, geldt ook voor Jaan. Vooral voor haar dragen wij een extra verantwoordelijkheid, want behalve een oudere zuster heeft het lieve mens geen familie.'

'Ik ben het met je eens, Siem. Het mensje hoort hier. Zwickezicht is al vele jaren haar thuis. Maar als ik een volwaardige kracht voor hele dagen of voor dag en nacht aanneem, voelt zij zich van haar plaats verdrongen. Dat risico lopen we niet als ik Anna vraag te komen helpen.'

'Waarom Anna?'

'Omdat Jaan het erg goed met haar kan vinden en zich zeker niet gepasseerd zal voelen. Ook ik kan erg goed overweg met Anna, en bovendien kan zij de extra verdiensten goed gebruiken, want de tuin is nog steeds geen vetpot. Teun de Laat moet zij een loon en een percentage van de omzet geven.'

'Het vrouwelijk personeel is jouw afdeling, Clazien, dus je gaat je gang maar.'

'Dan loop ik een dezer dagen even bij haar langs.'

'Ga geen partij kiezen voor Leen, hoor! Je moet haar ook wel duidelijk maken dat die jongen hier niet moet komen.'

'Wat zou Leen hier dan moeten doen?'

'Weet ik veel! Zijn moeder afhalen of zoiets. Reken maar dat die knaap van alles verzint om Rietje te ontmoeten en dat moeten wij voorkomen.'

'Je hoeft mij geen instructies te geven, Siem, want ik ben mans genoeg om mijn eigen boontjes te doppen.' Clazien ergert zich aan de bazige toon van haar man. Hij is sociaal en meegaand, maar zodra het over Rietje of Leen gaat, zet hij zijn stekels op. Hij zou moeten worden losgerukt uit de oude starre boerentraditie, maar hoe?'

'Clazien!' roept Anna verrast als de boerin van Zwicke-zicht bij haar aanklopt. 'Er is toch niks aan de hand met Rietje?'

'Nou, niks aan de hand is wat veel gezegd, maar als je bedoelt of ze ziek is, dan is het antwoord nee.'

'Leen mist haar erg en ik denk dat dat andersom bij Riet-je ook zo is.'

'Ik denk het niet alleen, maar ik weet het wel zeker, Anna, maar je kent de boerentraditie.'

'Boerinnen mogen zich nergens mee bemoeien.'

'Zo is het, dus het heeft geen zin erover door te praten. Alleen wil ik weten hoe het met Leen gaat, want ik hoorde dat hij een pak rammel van Gerrit opgelopen heeft.'

'Dat deert Leen het minst. Hij is verdrietiger over de consequenties, maar daar zouden we het niet over hebben.'

'Nee, ik kom voor iets anders, Anna. Jaan is bijna zeventig en het mensje heeft zo'n sterk plichtsbesef dat ze te veel hooi op haar vork neemt. 's Avonds is ze uitgeput en soms valt ze tijdens het bidden in slaap.'

'Je zoekt hulp,' veronderstelt Anna en Clazien knikt.

'Jij kent als geen ander het werk op Zwickezicht en je weet dat Jaan erg op jou gesteld is. Dat laatste geldt ook voor mij. Met niemand kan ik zo fijn praten als met jou. Ik wil dus graag je hulp inroepen. Vooreerst voor halve dagen, maar als je wilt mag je er ook wat middagen aan toevoegen, zoals je dat eerder gedaan hebt.'

'Je kunt op mij rekenen, Clazien. De opbrengst van de tuin moet ik delen met Teun de Laat en voor het naaiwerk moet ik concurreren met de winkels in de stad.'

'Voor mijn part begin je maandag al, Anna,' zegt Clazien.

'Ik zal er zijn.' Als goede vriendinnen nemen ze afscheid. Voor Anna geeft het werk op Zwickezicht haar weer wat meer bestaanszekerheid.

'Of je niet weggeweest bent,' zegt Siem vrolijk als hij Anna die maandagmorgen in het boenhok aantreft. Ze is al een tijdje bezig met het spoelen van de melkemmers en ze heeft een kleur van inspanning. Het is nogal warm en ze heeft de mouwen van haar jak opgerold. Anna is een mooie vrouw en dat ontgaat Siem niet. Hij moet zich nog steeds aan het dwingende advies van de dokter houden en ontziet zijn vrouw dus, maar vooral in voorjaar en zomer is dat moeilijk. De aanblik van een mooie vrouw als Anna windt hem danig op, maar zoals voorheen zal hij er niets van laten blijken.

De meer dan waarderende blik van Siem ontgaat Anna echter niet, maar zij heeft een wat dubbel gevoel. Haar jongen vindt hij niet geschikt om te gaan verkeren met zijn dochter, en eigenlijk zou ze hem dat kwalijk moeten nemen, maar ze beseft dat Siem precies hetzelfde doet als alle rijke boeren. Ze willen hun kinderen een verzekerde toekomst bieden en het familiekapitaal bijeenhouden of liever nog vergroten.

Ondanks de kritiek die ze daarop heeft en dus ook op Siem, kan ze niet echt boos op hem worden. Als jong meisje voelde ze zich erg tot hem aangetrokken en dat gevoel is nooit helemaal verdwenen. Bij hem is datzelfde gevoel misschien ook niet helemaal weg.

Ze weet wel dat veel schoolvriendinnetjes haar destijds

benijdden, omdat zij verkering kreeg met Henk Bovenkamp. Zelf wist zij wel dat Siem Rouveen voor haar te
hoog gegrepen was en dus was zij tevreden met de vrolijke
en knappe Henk Bovenkamp. Breed hebben ze het nooit
gehad, maar Henk was eigen baas en ze hadden een goed
huwelijk dat bekroond werd met twee lieve en gezonde
kinderen. Twee jaar geleden treurden zij samen om het
noodlottige ongeval dat Henk overkwam.

De plaats van Henk is ingenomen door Teun de Laat.
Niet helemaal natuurlijk, want trouwen wil ze niet met
hem. Zelf doet hij er wel zijn best voor, maar zij gaat niet
in op zijn schuchtere toenaderingspogingen. Af en toe laat
hij voorzichtig doorschemeren dat de leeftijd van zijn moeder voor hem een probleem is. Nu zorgt deze nog zo goed
en zo kwaad als het gaat voor haar zoon, maar ze is over
de tachtig en is langzamerhand zo krom als een hoepel.
Anna is al eens bij de oude vrouw op bezoek gegaan en ze
heeft haar aangeboden voor Teun te wassen en zo nodig
zijn kousen te stoppen, maar Jet heeft haar met haar steek-
oogjes venijnig aangekeken en gezegd dat ze nog best in
staat is zelf voor haar jongen te zorgen. Het blijkt dat Teun
altijd haar troetelkind is geweest. Terwijl zijn broers en
zusters trouwden en naar alle windstreken trokken, bleef
Teun thuis. Hij was te bleu om een meisje te vragen en
moeder Jet moedigde hem niet aan. Als enige van haar zes
kinderen bleef hij thuis en de angst sloeg haar om het hart
als ze bedacht dat ze alleen over zou blijven als Teun ook
zou trouwen. Nu hij elke dag bij de weduwe Bovenkamp
over de vloer komt, is die kans weer toegenomen en dat
zint haar niet. Ze was dan ook allesbehalve vriendelijk
tegen haar bezoekster en zag haar aanbod eerder als een
bedreiging dan als goedbedoelde hulp.

'Je moet zeker geen thee,' zei ze bits en uit die woorden
maakte Anna op dat ze beter kon gaan. Vervelend doen
tegen het oude mens wilde ze niet, dus nam ze hartelijk af-

scheid en wenste haar het beste.

'Teun mag tevreden zijn met zo'n zorgzame moeder,' zei ze nog en toen mompelde de oude vrouw de aloude gemeenplaats: 'Het zal wel schikken!' Op weg naar huis moest Anna inwendig lachen om het pinnige oude vrouwtje.

Rietje is blij dat tante Anna weer bijna dagelijks over de vloer komt. Via haar houdt ze contact met Leen, want hem ontmoeten gaat heel moeilijk nu ze meteen na de naailes naar huis moet. Mocht ze toch een omweg willen maken, dan weet ze dat Gonda, de zus van Gerrit, haar in de gaten houdt. Ze heeft begrepen dat zij de oorzaak was van de confrontatie tussen haar broer en Leen.

'Ik vind dat jij het moet weten,' zegt Anna op een dag als ze even alleen is met Rietje.

'Wat moet ik weten, tante Anna?'

'Schrik er niet van, kindje, maar Leen heeft verkering gekregen met Greetje Diewer.'

'Echt waar?' Ondanks de waarschuwing van Anna schrikt ze zich toch een ongeluk. Ze beseft dat hiermee een definitief einde is gekomen aan de stiekeme contacten met haar jongen. Haar jongen? Niet meer! Ze kan wel janken.

'Ja, en Greetje is een lief meisje. Je kent haar toch wel?'

'Ik heb met haar op school altijd in dezelfde klassen gezeten. Ze is de dochter van rietdekker Jan Diewer en ze is erg knap.' Het laatste komt als een snik uit haar mond.

'Trek het je niet zo aan, Rietje. Het moest er eens van komen en nu is het zover.' Ze slaat haar armen om het ontredderde meisje en trekt haar zacht tegen zich aan. Datzelfde heeft ze deze week met haar zoon gedaan. Hij heeft haar met tranen in zijn ogen verteld dat hij afleiding moet zoeken, omdat de kans ooit met Rietje te zullen trouwen verkeken is. Hij vertrouwde haar ook toe dat Greetje al een poos verliefd op hem is en daarmee de andere jongens jaloers maakt, omdat het een heel knap en lief meisje is. Zij zag aan de ogen van haar jongen dat die liefde kennelijk van één kant komt, want er straalde geen blijdschap uit. Een sombere, doffe en berustende blik was het.

Voor de zoveelste keer ligt Rietje die nacht weer lang wakker. Het bericht van tante Anna heeft haar overrompeld. Ze neemt het Leen niet kwalijk, want evenals zij ziet hij het hopeloze van hun situatie in. Maar dat zijn verstandelijke overwegingen. Haar gevoel is anders, want zij is teleurgesteld. Tot voor kort zag zij nog een lichtpuntje, een strohalm waaraan zij zich vastklampte. Nu is alles verloren en gaat zij een leven met Gerrit Voort tegemoet. Ze kan haar jongen niet missen en huilt haar kussen weer nat.

'Heb je gehuild, meisje?' vraagt Clazien als ze 's morgens haar dochter met rode ogen ziet rondlopen.

'Tante Anna heeft me verteld dat Leen verkering heeft gekregen met Greetje Diewer, de dochter van de rietdekker.' Weer worden haar ogen vochtig en moet ze getroost worden door haar moeder.

'Het is toch normaal dat Leen een meisje gekozen heeft? Jij hebt verkering met Gerrit.'

'Maar ik geef niks om die lelijke boer!' zegt ze opstandig.

'Wat is die Greetje voor een meisje?'

'Lief en knap.' Ze kijkt haar moeder met zo'n ongelukkige blik aan dat het hart van Clazien breekt. Ze begrijpt zo goed dat haar kind door de mededeling van Anna volkomen van streek is. Het liefst zou zij haar helpen, want er is een groot verschil tussen wat ze zegt en wat ze denkt. Zelf verafschuwt ze die Gerrit ook en houdt ze nog steeds van de zachte Leen. Alleen al zijn omgang met Thijs was onvergetelijk.

De zondag na de nare boodschap van tante Anna ziet Rietje Leen in de kerk. Ze hebben beiden een smachtende blik in hun ogen en ze weten dan dat hun liefde voor elkaar niet dood is. Weer zijn ze even dicht bij elkaar, maar toch ook weer zo ver van elkaar verwijderd.

Na de mis ziet zij dat Greetje Diewer naar Leen loopt en hem een arm geeft. De rietdekker woont niet ver van de kerk, dus zal hij wel bij de ouders van zijn meisje op de koffie gaan. Zij zal met de kapwagen van Chris Voort meerijden naar Noordhoek en daar koffie gaan drinken. Voordat ze instapt ziet ze dat Leen zich omdraait en ontmoeten hun blikken elkaar weer. Greetje kijkt ook om en zegt iets tegen Leen. Rietje kan niet verstaan wat ze zegt, maar ze heeft een vermoeden.

'Kom je?' vraagt de moeder van Gerrit die al in de kapwagen zit. 'Je staat zo te dralen. Wachtte je op iemand?'

'Nee hoor! Ik kom al,' haast Rietje zich te zeggen. Ze wachtte op niemand, maar de aanblik van Greetje aan de arm van haar lieve jongen maakt haar razend van jaloezie.

De weken en maanden rijgen zich aaneen zonder dat er veel bijzonders gebeurt. Het weer laat zich van zijn wispelturige kant zien, maar eind augustus straalt de zon aan een wolkeloze hemel. Dat komt goed uit, want de kermislui kunnen met droog weer hun attributen opbouwen en ze hopen dat er op de dag waarop de koningin haar verjaardag viert, ook een oranjezonnetje zal schijnen. Ze krijgen hun zin en de dorpsjeugd is in alle staten. Al enkele dagen hebben ze zich opgehouden op en rondom het kermisterrein in de hoop een paar centen te verdienen met het helpen van de kermislui. Samen met de opgespaarde centjes willen ze de bloemetjes eens flink buitenzetten, want kermis is hét jaarlijkse feest in het dorp waarop de jeugd en de hardwerkende bevolking zich een dag kunnen uitleven.

En dan is het zover. De dag begint met een kerkdienst waarin meneer pastoor de beminde gelovigen oproept maat te houden en vooral geen onderlinge ruzies uit te vechten. Ieder jaar doet de pastoor dezelfde oproep, maar steeds gaat het weer mis. Blijkens bloedige taferelen blijken de messen losser in de zakken te zitten dan goed is voor een vredig feest. Maar meestal gebeurt dat 's avonds als hitsige boerenknullen bij Ben Potman in De Kroonkurk te diep in het glaasje hebben gekeken. Ben Potman kalmeert de gemoederen als de onenigheid te hoog dreigt op te lopen, maar er moet toch veel gebeuren voordat hij gasten drooglegt. Kermis betekent voor hem omzet, vaak op één dag meer dan anders in enkele maanden.

Na de kerkdienst spreekt de voorzitter van het Oranjecomité de toegestroomde bevolking toe vanaf het bordes van het dorpshuis. Hij feliciteert de jarige vorstin en geeft het woord aan meester Galjaard, die de leiding heeft van het zangkoor dat enkele feestelijke liederen ten gehore brengt.
Als alle plichtplegingen achter de rug zijn, is de schooljeugd aan de beurt. Een stukje van het kermisterrein is afgezet en daarop meten de kinderen hun onderlinge krachten bij het waterdragen, zaklopen en koekhappen. Ouders van de kinderen moedigen hun kroost aan en klappen hard als hun favoriet een prijs wint. De te winnen prijzen liggen uitgestald in de etalage van het kapperswinkeltje van Bram van Doorn. Aan de prijzen heeft hij kaartjes bevestigd die aangeven voor welk onderdeel van de spelen de prijs bedoeld is. Met hun neus tegen de winkelruit hebben potentiële winnaars zich al aan de lokkende prijzen staan te vergapen en in de wetenschap dat zo'n prijs hun eigendom zal kunnen worden, doen ze op de kermisdag extra hun best.
Na de kinderspelen zijn de volwassenen aan de beurt. Ringrijden is een vast onderdeel van de feestelijkheden. Vroeger ging Siem samen met Clazien een kansje wagen, maar Clazien heeft er geen zin meer in. Ze laat het liever over aan Rietje, maar die moet dan met Gerrit aan de wedstrijd gaan deelnemen.

'We moeten proberen een prijs in de wacht te slepen, Rietje,' zegt Gerrit. 'Een Voort of Rouveen valt altijd in de prijzen, dus doe je best!' Het is een oproep die bij Rietje niet echt aankomt. Ze ziet er zelfs tegen op om ten aanschouwen van iedereen met Gerrit op de tilbury te moeten zitten om haar kunsten te vertonen. Het gaat allemaal niet van harte en het hele gedoe vindt ze niets. Dat geldt zelfs voor de hele kermis, waar ze vroeger weken voordien naar uitzag.

Als ze met Gerrit probeert de ringen aan haar pin te rijgen, wordt ze afgeleid doordat ze Leen met Greetje tussen de toeschouwers ziet staan. Wat zou zij graag de plaats van Greetje innemen, maar van haar wordt verwacht dat ze zich als een rijke boerendochter gedraagt. Maar die rijke boerendochter bakt er, tot ergernis van Gerrit, niets van. Andere boerendochters gaan samen met hun man of vrijer met de prijzen strijken en een Rouveen, noch een Voort komt eraan te pas.

'Dat is nooit eerder gebeurd, Rietje,' zegt Gerrit boos. 'Je had wel wat beter je best kunnen doen!'

'Ik heb het nooit eerder gedaan, Gerrit, dus wat praat je nou?'

'Laat maar zitten, we komen er wel overheen.' Aan zijn gezicht te zien is dat nog lang niet het geval. Nijdig spant hij het paard uit en stalt de tilbury. Hij had zijn oud-klasgenoten de ogen willen uitsteken met zijn mooie aanstaande bruid en een glansrijke overwinning. Het eerste is wel gelukt, maar het ringrijden werd een debacle. Enfin, de volgende keer beter.

Na het ringrijden gaat ze met Gerrit mee naar Noordhoek waar ze samen met hem en zijn ouders het extra verzorgde middagmaal zal gebruiken. Het ziet er allemaal erg smakelijk uit, maar ze neemt maar kleine beetjes.

'Is het niet lekker, Rietje?' vraagt moeder Hes. Ze heeft zó haar best gedaan, en dat wordt kennelijk gewaardeerd door vader Chris en Gerrit, maar Rietje stopt met een zuinig gezicht kleine hapjes in haar mond.

'Ja, het is heerlijk!' haast zij zich te zeggen en ze meent het ook, maar eten is het laatste waar ze nu behoefte aan heeft. 'Ik ben geen grote eter,' verweert ze zich, maar het klinkt niet erg geloofwaardig.

Als het ringrijden ter sprake komt, is vader Chris hard in zijn oordeel. 'Ik had beter samen met je moeder kunnen meedoen, want dan waren we zeker van een prijs geweest,' moppert hij. 'Een Voort die ergens achteraan eindigt was tot nu toe onbestaanbaar. Enfin, zand erover, ik ga een dutje doen.'

'Ik ook,' zegt Gerrit en na het bidden verdwijnen vader en zoon in de bedstee. De vrouwen staan ook vroeg op, maar hun is geen middagdutje gegund. Eerst moet de tafel afgeruimd worden en daarna de vaat gewassen.

'Trek je er maar niks van aan, hoor Rietje!' zegt Hes als ze samen met haar aanstaande schoondochter bezig is met de afwas. Ze heeft de verschrikte blik van Rietje gezien toen haar man zo uitviel. Al een hele poos komt Rietje op zondagmorgen na de kerkdienst op de koffie, maar ze is dan stil en kijkt bedroefd uit haar ogen. Ze weet dat de jongen op wie zij verliefd is, van Gerrit een pak slaag gekregen heeft nadat hij hem vrijend met Rietje betrapt had. Zij kan tot geen andere conclusie komen dan dat Rietje zich doodongelukkig voelt. Volgens Gonda heeft die Leen Bovenkamp nu verkering met Greetje van de rietdekker.

'Het spijt me dat ik met ringsteken niet beter mijn best gedaan heb, juffrouw Voort,' zegt Rietje en ze buigt deemoedig haar hoofd.

'Je hoorde mijn man toch zeggen: "Zand erover", dus denk er maar niet meer aan en ga straks maar fijn kermis vieren, want ik heb gezien dat de kermislui leuke attracties hebben opgebouwd.'

'Dat was een lekker dutje,' zegt Gerrit gapend. 'Laten we maar gauw naar de kermis gaan, Rietje. Moe neemt mijn koeien voor haar rekening, dus ik hoef niet terug te komen om te melken.' Hij spant de vos weer voor de tilbury en samen rijden ze naar het kermisterrein. Er is veel volk op de been en de kermisattracties vinden gretig aftrek.

'Laten we eerst maar een rondje draaien in de draaimolen,' stelt Gerrit voor, maar Rietje schudt haar hoofd.

'Ik word misselijk in een draaimolen, Gerrit.'

'Dan gaan we naar de schommelschuiten.' Dat was Gerrit toch al van plan, want hij wil graag zijn krachten tonen, niet alleen aan zijn meisje, maar ook aan de omstanders. Met gemengde gevoelens stapt Rietje in het schuitje en dan laat Gerrit zien waartoe hij in staat is. Na een aarzelend begin zwiept hij het schuitje steeds hoger op, zodat zij haar rok moet vasthouden, want aan de goedkeurende kreetjes van jonge omstanders ziet ze dat ze hun ongewild een kijkje onder haar rokken gunt.

'Niet te hoog, Gerrit!' roept ze en ook de baas van de attractie kijkt bedenkelijk. Straks stoot die lelijke boerenknul nog een gat in zijn bovenzeil. Hij remt dus Gerrit wat af, maar die protesteert.

'Het gaat juist zo lekker, man. Waarom rem je me nou af?'

'Als jij me een gat in het bovenzeil wilt vergoeden, dan mag je nog een keertje,' lacht de man, maar Gerrit bedankt voor de eer.

'Die lummel verziekt de pret,' gromt hij. 'Laten we maar een kijkje bij het koekslaan nemen, dan kun jij ook laten zien dat je spierballen hebt.'

'Reken daar maar niet te vast op,' reageert ze, maar Gerrit zet zijn wil door en zoekt zijn zuster, die hij even tevoren heeft zien lopen.

'Gon, wil jij je krachten meten met Rietje?'

'Waarmee?' vraagt Gonda.

'Met koekslaan.'

'O, dat is goed, hoor!' Bij het houten blok op drie poten staat al een groepje kleine jongens te wachten, want ze zijn dol op koek en als ze het netjes vragen maken ze daar een gerede kans op. Wie de koek doormidden slaat, wint de koek en de ander moet betalen. Gonda is een potige tante en het lukt haar de koek met een ferme klap doormidden te slaan, dus Rietje moet haar beursje tevoorschijn halen. Terwijl ze betaalt, deelt Gonda brokken koek uit aan de jongetjes die hun hand ophouden en haar beleefd vragen of ze een stukje mogen hebben. Rietje ziet een klein jongetje in wie ze het zoontje van een dochter van Jaap Groot herkent. Het is Wimpie.

'Geef Wimpie ook een stukje, Gonda,' zegt ze.

'Maar hij heeft er helemaal niet om gevraagd,' reageert Gonda. 'Wie is dat dan?'

'Dat is het kleinzoontje van onze knecht, Jaap Groot.'

'Op dit dorp zijn we bijna allemaal familie van elkaar,' zegt Gonda en ze breekt een heel klein stukje van de koek af en geeft dat aan Wimpie. 'Wat zeg je dan?' vraagt ze het ventje streng aankijkend.

'Lekker!' zegt Wimpie, maar Gonda schudt haar hoofd.

'Kinderen van arbeiders en knechten hebben weinig of geen opvoeding gehad,' bromt ze en met grote stappen beent zij weg.

'Eet maar lekker op, hoor Wimpie!' zegt Rietje tegen het ventje dat een beetje beteuterd staat te kijken. Wat een draak is die Gonda toch, gaat het door haar heen. Zij is dezelfde die haar broer waarschuwde toen zij een vermoeden had dat die bedrogen werd door Leen.

'Je weet dat moe het melken vandaag van me overneemt, dus ik hoef niet terug naar Noordhoek,' zegt Gerrit. 'Er is een tent met warme bollen, dus laten we er daar maar een paar van halen.'

Rietje heeft weinig zin in warme bollen, maar ze wil geen

spelbreker zijn en eet er twee op. Wel met lange tanden, maar dat laat ze Gerrit niet merken. Als ze de bollen ophebben slenteren ze nog wat over het kermisterrein, maar ze hebben alles wel zo'n beetje gezien en besluiten naar De Kroonkurk te gaan. Het is er al aardig druk en ze zoeken een rustig plekje achter in de kroeg op.

'Eerst maar koffie,' vindt Gerrit en daar is zij het roerend mee eens, want een nuchtere Gerrit is al weerzinwekkend, laat staan als hij gedronken heeft. Ze zitten 'het spul' zoals Gerrit het noemt een halfuurtje aan te kijken en dan komen er steeds meer mensen.

Ben Potman wil niets aan het toeval overlaten. Hij heeft zijn personeel ingehuurd in de stad: twee niet al te preutse diensters en een harmonicaspeler. De diensters weten bij voorbaat dat de kerels nogal handtastelijk worden naarmate er meer borreltjes of glazen bier in hun keelgat verdwijnen. De harmonicaspeler moet de gasten vermaken met spelletjes en muziek.

Als het druk genoeg is in zijn kroeg geeft Ben de speelman een wenk dat hij kan beginnen. Hij start met een stoelendans. Normaliter heeft Rietje er plezier in, maar nu belandt ze steevast op de knieën van een gruizige knaap. Als Gerrit haar eenmaal te pakken heeft, lijkt het wel of hij haar niet meer wil loslaten, maar de speelman is onverbiddelijk. Zowel Gerrit als zijzelf valt voortijdig af. Gerrit heeft de pest in, maar zij is blij toe. Ze vreest dat ze onder de blauwe plekken zit.

Na de stoelendans worden de feestgangers op de dansvloer genood en zet de speelman een wals in. Gerrit heeft bijna nooit gedanst, af en toe wel wat gehost. Zijn dansen lijkt dan ook meer op hossen. Rietje vreest dat ze naast de blauwe plekken ook gekwetste tenen aan 'het ballet' overgehouden heeft.

Na al die inspanningen zijn de kelen droog geworden en Gerrit giet het ene na het andere biertje naar binnen. Hij wordt er wat overmoedig door en vraagt Ben op zijn kosten de mensen wat te drinken te geven. 'Sla Leen Bovenkamp maar over, Ben,' zegt hij en Leen hoort het. Hij is met Greetje, maar de hele dag heeft hij zich al op lopen te vreten van chagrijn. Door zijn vrienden wordt hij benijd, want hij heeft voor elkaar gekregen wat hun niet gelukt is: verkering met de mooie Greetje Diewer.

Leen zelf is alleen maar vreselijk jaloers en hij stoort zich aan de bravoure van die verschrikkelijke Gerrit. Hij haat hem bijna evenzeer als hij Rietje liefheeft. Nu weer die rotstreek door hem ten overstaan van iedereen uit te sluiten van een gratis borrel. Niet het gemis van de borrel, maar het uiterst onsympathieke gebaar van die hufter maakt hem razend.

'Ik wil die borrel van jou niet eens hebben,' schreeuwt hij.

Hij wordt rood en Rietje ziet dat hij woest is.

Greetje voelt zich niet erg op haar gemak met Rietje en Gerrit in de zaal. En nu die Gerrit Leen zo kwaad maakt, vreest zij voor ruzie. Ze trekt hem mee naar een hoekje van de gelagkamer, maar Leen rukt zich los en briest: 'Je denkt toch zeker niet dat ik bang ben van die boerenlul!'

Die uitspraak is tegen het zere been van Gerrit en met grote stappen beent hij naar de veel tengere Leen Bovenkamp. 'Herhaal nog eens wat je net zei, rotzak!' schreeuwt hij en als Leen hem dan uitscheldt voor 'vetzak met je pokdalige rotkop' is voor Gerrit de maat vol. Rietje en Greetje gillen om het hardst, maar Gerrit trekt er zich niks van aan en beukt Leen tegen de grond. Ben Potman heeft een hekel aan gedonder in zijn kroeg en springt ertussen. Ook anderen trekken de woeste jonge boer bij Leen weg. Ze kalmeren Leen, die even later samen met Greetje vertrekt. Rietje is helemaal van streek en ze is blij als ze die avond in haar bed ligt. Was de kermis altijd een heerlijk feest voor haar, nu was het een nachtmerrie.

HOOFDSTUK 8

Een gezegde in het dorp luidt: als de kermis geweest is, is de zomer voorbij. Het lijkt erop dat de dorpelingen gelijk krijgen, want september verloopt regenachtig. Als dat sombere weer ook doorgaat in oktober, is het 's avonds alweer wat vroeger donker. Dat komt Leen Bovenkamp goed uit, want op een avond van de naailes heeft hij zich verdekt opgesteld in een bosje in de buurt van het dorpshuis en daar wacht hij de komst van Rietje af.

Als Rietje die avond op weg gaat naar huis en het bosje passeert, hoort zij dat iemand zachtjes haar naam roept. Ze kijkt om zich heen, maar ziet niemand. Leen ziet haar des te beter, en als hij er zich van overtuigd heeft dat er behalve Rietje niemand in de buurt is, komt hij tevoorschijn en trekt zijn lieve meisje tot achter het bosje.

'Leen!' zegt ze verrast. De laatste keer dat ze hem zag was tijdens de kermis waaraan ze zulke slechte herinneringen heeft.

'Ik wil even met je praten, schat,' fluistert hij, maar aan praten komen ze niet meteen toe, want zij stort zich in zijn armen en drukt zich onstuimig tegen hem aan. Hun monden vinden elkaar en terwijl bij haar de tranen over de wangen rollen, kust ze haar jongen vol overgave.

'Ik wil dat je weet dat ik niks om Greetje geef, maar alleen van jou houd, lieveling,' fluistert hij.

'Dat weet ik toch, jongen! Bij mij is het erger: ik verafschuw Gerrit en houd ook alleen van jou, maar ik zit aan die engerd vast.' Terwijl ze haar lieve jongen kust, denkt ze terug aan die kermisavond waarop Gerrit afscheid van haar nam. Vond ze het normaal al een bezoeking de kleffe zoenen van Gerrit te moeten ondergaan, na de kermis was het in één woord verschrikkelijk. Hij stonk naar drank en ze voelde overal zijn harde handen. Wat een verschil met Leen. Ze klampt zich weer aan hem vast, maar bedenkt dat ze nu wel vlug naar huis moet gaan om lastige vragen van haar vader te vermijden. Liegen is niet haar sterkste kant.

'Ik vind het wel erg vervelend voor Greetje dat ik met de beste wil van de wereld haar liefde niet kan beantwoorden en het binnenkort zal moeten uitmaken,' vertrouwt hij haar bij het innige afscheid nog toe.

Thuis is alles heel gewoon. Er worden haar geen vervelende vragen gesteld en na het pap eten en bidden gaan ze allemaal naar bed. Vader Siem heeft zijn rust hard nodig, want na het vroege melken moet hij de rest van de dag, samen met Jaap, de polder in om te sloten. Daar zijn ze inmiddels al twee dagen mee bezig en ze zijn nog niet op de helft. Uitstel is niet mogelijk, want het Waterschap heeft aangekondigd dat er vóór het einde van de maand schouw zal worden gedreven en dan moeten de sloten vrij van vuil zijn.

Jaap kan geen zwaar werk meer doen, zodat Siem de kanten, die de knecht met de vlijmscherpe graaf afgestoken heeft, op moet trekken en de brokken deponeren in de gaten, die door de koeien getrapt zijn.

Het is wel zaak de koeien na het sloten niet te lang meer in de wei te laten, want anders wordt hun werk alweer snel ongedaan gemaakt. Als het regenachtige gure weer aanhoudt zal Siem de koeien op stal zetten. De warme stal is tijdens het melken te verkiezen boven de tochtige koebocht. Maar het is nog niet zover. Eerst moeten alle sloten schoon, want klagende controleurs heeft hij op Zwickezicht nog nooit gehad. Met een knecht die zijn beste jaren heeft gehad, is het voor Siem hard werken en dus slaapt hij tot de wekker afloopt.

Rietje slaapt in een andere kamer, maar ook zij hoort de wekker. In tegenstelling tot haar vader heeft zij die nacht niet zo goed geslapen. De woorden van Leen spelen al dagen door haar hoofd. Evenals dat bij haar het geval is, is ook de verkering tussen Leen en Greetje een sleur zonder een greintje liefde. Op haar, Rietje, zijn de meisjes niet jaloers, want Gerrit is geen aantrekkelijke vrijer, tenzij ze uit zijn op zijn centen. Bij Leen ligt dat anders. Bijna de helft van de dorpsjongens van zijn leeftijd is jaloers op zijn verovering, want daarvan is sprake als je kans ziet zo'n mooi en lief meisje als Greetje Diewer aan de haak te slaan. Op Greetje is zij niet jaloers. Eerder heeft zij, net als Leen, met haar te doen, want de liefde komt van één kant: de hare. Dat heeft Leen haar uitdrukkelijk verzekerd.

Na zijn ziekte van de afgelopen winter is Jaap Groot nooit meer helemaal de oude geworden en daarbij heeft hij ook zijn leeftijd tegen. Als Jaap de morgen na een dag sloten niet komt opdagen, weet Siem wel zeker dat er iets met de oude knecht aan de hand is, want hij verzuimt nooit.

'Ik ga straks even bij Jaap kijken, want ik vertrouw het niet,' zegt Siem met een bezorgd gezicht tegen Clazien. Zijn bezorgdheid is niet ten onrechte, want als hij in het daggeldershuisje komt, treft hij daar een huilende Aagd Groot aan.

'Jaap ligt zwaar te hijgen in de bedstee, Siem, en hij is nauwelijks aanspreekbaar. Ik denk dat hij koorts heeft, want hij voelt ook zo warm aan. Wat moet ik nou?'

'Ik ga even bij hem kijken, Aagd,' zegt Siem en bij de bedstee aangekomen ziet hij dat Aagd gelijk heeft. 'Hij heeft koorts, Aagd. Ik zal Rietje om de dokter sturen.' Net als Jaan hoort Jaap bij Zwickezicht en ze maken zich allemaal grote zorgen. Rietje gaat dus meteen op pad om de dokter te waarschuwen.

Als dokter Vredevoort een uurtje later arriveert, kijkt hij

erg bedenkelijk, zeker als hij hoort dat de oude knecht met dit gure weer dagen in de polder bezig geweest is. 'De zieke moet goed in de gaten gehouden worden, vrouw Groot,' adviseert hij.

'Dat zal ik doen, dokter,' stamelt Aagd. Ze is helemaal van streek. 'Gaat u het ook even zeggen op de hoeve, dokter? Als ze weten hoe erg het is, krijg ik wel wat hulp.'

'Dat zal ik doen,' belooft de arts. 'Hulp zult u in de komende dagen zeker nodig hebben.'

'Ik kom jullie maar even op de hoogte stellen hoe het met Groot gesteld is,' zegt hij even later in de keuken van de hoeve.

'En hoe is de situatie, dokter?' vragen Clazien, Jaan en Rietje in koor. Op dat moment komt ook Siem binnen, want hij heeft de dokter de hoeve zien binnengaan.

'Vrouw Groot zal uw hulp de eerste dagen hard nodig hebben, mensen,' voorspelt de arts. 'Ik heb de knecht vluchtig onderzocht en het is me wel duidelijk dat we ons op het ergste zullen moeten voorbereiden.'

'Hebt u dat ook tegen Aagd gezegd?' vraagt Siem, maar de arts schudt zijn hoofd. 'Het mensje was in alle staten, dus ben ik tegenover haar wat voorzichtiger geweest. Ik heb gezegd dat ze haar man de eerste dagen goed in de gaten moet houden.'

'Dat kan ze niet alleen,' meent Clazien en de anderen zijn het met haar eens. 'Op onze volledige steun zal ze kunnen rekenen,' verzekert Clazien de arts.

'Ik ga straks meteen even naar haar toe om te zien of ze iets nodig heeft,' stelt Rietje voor. Evenals de anderen is zij erg geschrokken van de onheilsboodschap.

Als zij die ochtend bij Aagd komt, is die erg verdrietig. De dokter heeft het haar dan wel niet zo duidelijk gezegd, maar zij voelt wel aan dat Jaap er heel erg slecht aan toe is. 'Wil jij Truus even waarschuwen, Rietje?' vraagt ze en Rietje zegt meteen te zullen gaan. Truus is de jongste dochter van

Aagd en ze woont met haar man en kinderen in het dorp.

Als ze bij Truus aankomt, wordt ze enthousiast begroet door Wimpie, het kleine jongetje dat op de laatste kermis een stukje koek van Gonda Voort kreeg. Dat kreeg hij niet van harte, overigens.

'Het gaat erg slecht met je vader, Truus,' valt Rietje met de deur in huis, want het vrolijke gebabbel van de kleine Wimpie past niet bij de ernst van haar boodschap. Ze vertelt verder wat de dokter gezegd heeft en dat haar moeder zich grote zorgen maakt. 'Ze heeft me gevraagd jou te waarschuwen, maar de dokter is tegenover haar wat voorzichtiger geweest dan tegenover ons. Hij heeft haar geadviseerd je vader goed in de gaten te houden, maar daarbij heeft ze natuurlijk hulp nodig.'

'Als mijn man thuis geweest is om te eten, ga ik er vanmiddag meteen heen,' zegt Truus toe. Ook zij is erg van streek.

Twee dagen later overlijdt Jaap en Aagd is ontroostbaar. Hij heeft bijna heel zijn leven op Zwickezicht gewerkt en ze treuren allemaal om de dood van de trouwe en vriendelijke knecht. Aagd geven ze alle steun en die ondervindt zij ook van haar beide getrouwde dochters.

Thijs begrijpt er niets van, maar Rietje is erg aangeslagen. Ze kan niet goed begrijpen dat de man die enkele dagen eerder nog mee aan tafel zat voor een kop koffie en met vader de polder in trok, nu dood in zijn kist ligt. Jaap was niet meer dan een eenvoudige boerenknecht, en de slaapkamer van het daggeldershuisje is dan ook ontoereikend om plaats te bieden aan buren, familie en bekenden, die komen bidden voor het zielenheil van de overledene. De beide dochters grijpen de handen van Rietje en bedanken haar omdat zij de laatste dagen hun moeder zo goed heeft geholpen, niet zozeer met huishoudelijke dingen, maar meer met haar moed in te spreken.

De rouwmis en de begrafenis zijn twee dagen later. De kerk is maar voor een deel gevuld, maar van Zwickezicht zijn ze, voor zover mogelijk, aanwezig. Thijs mee te laten gaan naar de rouwmis en de begrafenis gaat niet, dus moet er iemand thuis blijven om Thijs in de gaten te houden. Meestal is Jaan de aangewezen persoon om dat te doen, maar zij wilde de begrafenis van Jaap per se bijwonen. Niet voor niets hebben zij samen het grootste deel van hun leven op Zwickezicht gewerkt.

Clazien voelde zich al niet erg goed, maar door de trieste gebeurtenis heeft zij een terugslag gekregen. Zij blijft dus thuis, maar vooraf heeft zij het aan Aagd uitgelegd en die had er alle begrip voor. Zij is de familie Rouveen dankbaar voor alle steun en bemoediging.

Tijdens de begrafenis wordt Rietje vergezeld door Gerrit, die eigenlijk nooit veel notitie heeft genomen van de oude knecht. Wie wel erg op Jaap gesteld was, is Leen. Zijn hulp was meestal bedoeld om Jaap bij te staan en daaraan heeft Leen goede herinneringen, zoals iedereen trouwens, want Jaap was een aardig kerel. Hij wil dan ook niet ontbreken en hetzelfde geldt voor zijn moeder. Zij ziet dat Leen geen oog van Rietje af kan houden. Eens te meer komt ze, zonder er met Leen over gesproken te hebben, tot de conclusie dat de verkering met Greetje Diewer niet zo lang stand kan houden. Dat is jammer, want Greetje heeft ze leren kennen als een lief meisje. Leen zou toch wat meer zijn best moeten doen om Rietje te vergeten, want zij is nu het meisje van Gerrit Voort en binnen afzienbare tijd zullen ze wel trouwen. Zeker niet uit liefde, want ook Rietje verliest Leen geen minuut uit het oog. Ze kan de voorkeur van de dochter van Clazien zo goed begrijpen, want Leen is een frisse knappe knul en die Gerrit vindt ze maar 'n lelijkerd.

Door de plotselinge dood van Jaap zit Siem van de ene op de andere dag zonder vaste knecht. Een nieuwe knecht aannemen is in de herfst niet gebruikelijk. Knechten verhuren zich per 1 mei. Met de winter voor de deur kan hij het tot mei wel redden met een losse knecht.

'In de tuin is op de winterdag ook niet veel te doen, Siem. Kun je Leen niet als losse knecht inhuren?' vraagt Clazien.

'Jij wil de kat op het spek binden. Je begrijpt toch zelf wel dat dit heel onverstandig is!'

'Ja, dat is wel zo.' Ze liet haar gevoel spreken, maar ze begrijpt best dat het voor Rietje alleen maar moeilijker zou worden om elke dag geconfronteerd te worden met de jongen van wie ze echt houdt. Dat dat nog steeds het geval is, heeft ze laatst gezien toen Gerrit woedend verhaal kwam halen wegens haar bedrog.

Omdat Jaan tientallen jaren samen met Jaap op Zwicke-zicht heeft gewerkt, treurt zij om de dood van de oude knecht. Zij heeft alleen nog een oudere zuster en verder geen familie. Met Jaap en zijn vrouw Aagd heeft ze het altijd goed kunnen vinden, want ze waren leeftijdgenoten. Nu kan ze alleen nog met Aagd over vroeger praten. Hoewel Aagd veel aanloop krijgt van haar dochters, is ze toch ook vaak alleen. Jaan gaat haar dus af en toe gezelschap houden. Het doet Aagd goed, want zij heeft er behoefte aan het verdriet om de dood van haar man van zich af te praten. Ze raakt niet uitgepraat over de laatste dagen van Jaap en over de koude, gure polder waar hij zijn longontsteking heeft opgelopen. 'Het was een lieve man,' zucht ze, 'maar wel erg eigenwijs. Als hij Siem gevraagd had iemand anders het zware werk in de polder van hem over te laten nemen, dan had Siem dat gedaan, want hij was van jongs af aan erg op Jaap gesteld.'

'Dat was andersom ook zo,' weet Jaan en Aagd knikt.

'Siem heeft het karakter van zijn vader, want dat was ook een beste vent. Ja, Jaap heeft altijd een goede baas gehad en dat kunnen niet veel knechten zeggen.'

'Ik ook een goede bazin,' zegt Jaan. 'Zowel bij de oude als bij de jonge boerin heb ik me altijd in het gezin opgenomen gevoeld. Thijs hangt aan me als een klit en Rietje klaagt vaak haar nood bij mij.'

'Nood?' Aagd haalt haar schouders op.

'Ik wil er niet te veel over zeggen, Aagd, want het zijn mijn zaken niet, maar ik weet dat ze niet veel geeft om haar vrijer. Die Gerrit is niet aardig tegen Thijs en dat doet mijzelf ook pijn, want Thijs heeft een klein verstand, maar een groot gevoel. Hij kruipt schuchter in een hoekje als Gerrit er is en uit medelijden neem ik hem dan mee naar de keuken en vrolijk hem op met iets lekkers.'

'Dat heeft Clazien mij al jaren geleden afgeraden.'

'Toen dreigde Thijs moddervet te worden, maar sinds hij sjouwwerk doet bij de meelhandelaar mag hij best iets lekkers hebben. Het is zo'n smulpaap!' Er komt glans in de ogen van de oude meid als ze de ongelukkige boerenzoon in gedachten voor zich ziet.

Het lijkt wel of het overlijden van de oude knecht Jaan niet alleen een geestelijke klap heeft bezorgd, maar ze heeft er ook lichamelijk hinder van ondervonden. Er komt steeds minder werk uit haar handen, zodat Anna haar hulp op Zwickezicht nog wat moet uitbreiden. Daar komt nog bij dat de gezondheid van Clazien weer achteruitgaat. Zij kan slecht tegen het vochtige weer in het najaar en de kou in de winter.

'Het lijkt hier wel een ziekenhuis,' moppert Siem als hij Anna tegen het lijf loopt. Hij let er echter wel op die uitspraak niet te herhalen waar Clazien en Jaan bij zijn.

'Jaan is over de zeventig, Siem, en dat Clazien altijd al een zwakke gezondheid gehad heeft, hoef ik jou niet te vertellen.'

'Gelijk heb je, Anna. Laten we blij zijn dat we zelf gezond zijn en dat jij daardoor in staat bent ons hier op Zwicke-

zicht te helpen!' Nog steeds vindt hij Anna een aantrekkelijke vrouw. De meeste vrouwen van haar leeftijd zijn dikke
schommels, maar Anna is slank en nog knap bovendien. Hij
weet dat ze al over de veertig is, maar ze ziet er niet naar
uit.

Met Siem praat Anna nooit over Leen en Rietje, maar als ze
alleen is met Clazien, begint die er zelf soms over.

'Ik maak me zorgen om Rietje, Anna,' vertrouwt ze haar
goede vriendin toe. 'Ze is gek op Leen, maar moet verkeren
met Gerrit.'

'De liefde tussen jonge mensen is van alle tijden, Clazien,
alleen staat het al dan niet hebben van het vereiste kapitaal
die liefde vaak in de weg.'

'Helaas wel, Anna. De echte liefde heb ik zelf nooit gekend. Mijn huwelijk met Siem is ook geregeld, zoals dat tot
op de dag van vandaag gebruikelijk is.'

'We zullen ermee moeten leven, Clazien,' zucht Anna. Ze
plukt er zelf ook de wrange vruchten van, want haar zoon
lijdt er zichtbaar onder, ondanks zijn omgang met een lief
meisje, maar voor hoe lang nog?

'We moeten ermee leren leven, maar ik zou het wel anders willen, Anna. Ik zou willen dat boerinnen wat meer te
vertellen zouden hebben, want nu wordt alles door de boer
geregeld.'

'Het is een traditie die van vader op zoon is overgegaan
en Siem houdt daaraan vast.'

'Dat weet ik wel, Anna. Ik beweer ook niet dat Siem een
slechte man is, want hij is zacht en bezorgd.'

'Ik weet uit ervaring dat Siem een goed en zacht karakter
heeft, Anna.'

'Uit ervaring, zeg je?'

'Nou ja, ervaring is een groot woord, maar je herinnert je
misschien dat ik als jong meisje ooit kermis met hem gevierd heb.'

'Ik ben nooit zo'n feestvarken geweest, Anna, en wat Siem deed of liet interesseerde mij niet.'

'Mij eerlijk gezegd wel. Ik heb het je nooit durven vertellen, maar nu we er toch zo openlijk over praten kan ik je wel zeggen dat ik toen verliefd was op Siem en die genegenheid is nooit helemaal overgegaan. Maar als zoon van een rijke boer was Siem natuurlijk te hoog gegrepen voor mij.'

'Maar ik vond jou en Henk altijd wel een goed stel, Anna.'

'Dat klopt ook, want we hebben een prima huwelijk gehad,' en lachend gaat ze verder: 'Maar voor Siem heb ik altijd een warm plekje in mijn hart gehad.'

'Oude liefde roest niet, zeggen ze toch?'

Maar dat gaat Anna wat te ver. 'Een warm plekje in mijn hart is wat anders dan liefde, Clazien. Siem is een aardige kerel, maar hij zit erg vastgeroest in de tradities van de boerenstand.'

'En daar wijkt hij niet van af. Hij zet alles op alles om later de hoeve in goede handen over te dragen. Zijn verdriet om de onmogelijkheid Thijs boer op de hoeve te laten worden, vreet al jaren aan hem.'

Anna knikt en hoeft niet zo diep in haar herinnering te graven. 'Ik heb zijn teleurstelling gezien toen hij van de dokter gehoord had dat Thijs niet normaal was.'

'Wij waren er allemaal kapot van, Anna, maar Siem trok het zich toch het meeste aan en daarbij kwam ook nog het nodige zelfverwijt.'

'Ik sta niet zo gauw klaar met verwijten, Clazien, maar dat jij een halfjaar na de uiterst zware bevalling van Rietje alweer zwanger was, dat verbaasde mij toen wel heel erg en mij niet alleen.'

'Ik vond het vreselijk, want de dokter had mij wel duidelijk gemaakt dat er voor mij risico's kleefden aan het krijgen van kinderen. Dat heeft hij toen ook tegen Siem gezegd, en die jongen is wel bezorgd, maar ook zó hartstochtelijk. Na de geboorte van Thijs heeft de dokter hem, naar ik begrepen heb, als het ware het mes op de keel gezet en sedertdien staat ons intieme leven op een heel laag pitje. Ik weet dat het hem heel zwaar valt, maar het is niet anders.'

'Je bent wel erg openhartig tegen mij, Clazien.'

'Ik moet mijn verhaal aan iemand kwijt, Anna, en met niemand kan ik zo fijn praten als met jou. Bovendien weet ik dat ik je voor honderd procent kan vertrouwen, want jij bent geen kwek, zoals de meeste dorpsvrouwen.'

'Je vertrouwen zal ik niet beschamen, Clazien.'

Als Anna naar huis is, zondert Clazien zich weer af in haar kamertje om alles wat ze met Anna besproken heeft samen te vatten in haar dagboek. Ze heeft op haar kamertje een kastje waarin ze haar kostbare spulletjes opbergt. Er zitten diverse laatjes in het kastje en een ervan kan ze op slot doen. Dat doet ze dan ook altijd en in dat laatje bergt ze haar dagboekje op. Ze maakt er geen geheim van dat ze een dagboek heeft, maar niemand krijgt de kans erin te lezen. Als ze klaar is met haar aantekeningen, bergt ze haar boekje op en hangt het sleuteltje aan een spijkertje achter het kastje. Niemand van haar huisgenoten krijgt zodoende inzicht in haar diepere gevoelens, die ze wel aan het papier durft toe te vertrouwen.

Deze keer was het niet zomaar een notitie, maar een zwaarwichtig onderwerp, dat ze weliswaar van zich af geschreven heeft, maar dat haar toch erg vermoeid heeft. Dat Anna ooit verliefd is geweest op Siem is nieuw voor haar, maar meer nog kijkt zij ervan op dat Anna nog steeds, zoals zij het noemt, een warm plekje in haar hart voor Siem heeft.

Eigenlijk hadden die twee moeten trouwen. Anna was vroeger een heel knap meisje en Siem een frisse knul. Ze zijn beiden altijd kerngezond gebleven en hadden elkaar in geen enkel opzicht hoeven te ontzien. Waarom stond toen al dat domme geld hun beider geluk in de weg? Zelf waardeert ze Siem en dat is andersom zeker ook het geval, maar ze zijn er niet in geslaagd elkaar echt gelukkig te maken.

Ze kent haar eigen zwakke gezondheid en maakt zich zorgen om de toekomst. Die zorgen en mogelijke oplossingen heeft ze aan het papier toevertrouwd, en dat heeft haar meer vermoeid dan het gesprek met Anna.

Die avond wurmt ze met moeite een boterham en een halve kroes melk naar binnen, maar dan wil ze de bedstee in om te rusten. De huisgenoten kijken elkaar bezorgd aan. Moeder heeft zich die dag niet noemenswaardig vermoeid en toch wil ze, na met lange tanden een boterham opgegeten te hebben, meteen onder de wol.

'Jij moet morgen maar even bij de dokter langsgaan, Rietje,' zegt Siem met een somber gezicht. Rietje is het roerend met haar vader eens dat het goed is de dokter weer eens naar moeder te laten kijken, want ze vertoont toch steeds vaker trekken van haar oude kwaal.

Vroeger dan andere dagen is ze de volgende morgen uit de veren en ze loopt meteen naar de bedstee van haar moeder. 'Hoe gaat het nou, moe?' vraagt ze met een bezorgd gezicht.

'Het gaat wel weer goed, hoor, meisje! Zoals je weet heb ik gisteren lang met tante Anna zitten praten en dat heeft me een beetje vermoeid.'

'Was het dan zo'n vermoeiend gesprek, moe?'

'Dat valt wel mee, hoor! We hebben het over vroeger gehad en toen kwam ter sprake wat we allemaal hebben meegemaakt.'

'U moet zich niet te druk maken, moe. Pa heeft me gevraagd straks naar de dokter te gaan om hem te vragen even langs te komen.'

'Jullie moeten je niet te veel zorgen om mij maken, kindje, maar ik vind het wel goed dat je de dokter weer eens vraagt langs te komen. Ik blijf nog een halfuurtje liggen en dan sta ik ook op, hoor!'

'Waarom blijft u niet wat langer in bed, moe?'

'Zieke mensen blijven in bed en ik ben niet ziek.' Clazien voelt zich nog wel wat moe, maar zij wil haar kind niet ongerust maken.

'Ik kom in de loop van de ochtend, Rietje,' zegt dokter Vredevoort als hij het bezorgde gezicht van het meisje ziet, van wie hij zich de geboorte als de dag van gisteren herinnert. Het was voor een tenger vrouwtje als de boerin van Zwickezicht een zware bevalling, maar zwaarder nog was de bevalling van zoon Thijs anderhalf jaar later. Onverantwoord was het van de boer zijn vrouw zo kort na die eerste bevalling, die haar bijna fataal werd, weer zwanger te maken. Enfin, hij heeft de boer danig op z'n falie gegeven en kinderen zijn er nadien niet meer gekomen. Zielig voor het stel dat de jongen tijdens de bevalling een dusdanige hersenbeschadiging had opgelopen, waardoor hij geestelijk niet normaal bleek te zijn. Lichamelijk is het nu een beer van een vent, maar met het verstand van een kleuter. Gezondheidsproblemen heeft de jongen nooit gehad, behalve dan dat hij te veel en te vet at en te weinig beweging kende. Zijn advies de jongen stevig aan het werk te zetten, is opgevolgd en bij de meelhandelaar vlogen de pondjes er vanaf. Die Jan Borst is een halve psycholoog, want de beloning van Thijs bestond en bestaat nog steeds uit bewondering voor zijn prestaties. Als Thijs honger heeft, krijgt hij een appel, precies zoals hij het de ouders heeft geadviseerd. Die hebben vervolgens kennelijk de meelhandelaar geïnstrueerd.

Het is hem allemaal in geuren en kleuren verteld, want een achterlijke jongen in een klein dorp brengt heel wat tongen in beweging. De verhalen variëren van niet-passende klompen bij de pesterige klompenmaker tot het redden van een paard van de verdrinkingsdood.

Thijs zelf schijnt de minste moeite te hebben met zijn gebrek, want hij lacht altijd en is de vrolijkheid zelve.

Na enkele visites afgelegd te hebben komt de dokter bij Zwickezicht. Het is alweer een poosje geleden dat hij de boerin onderzocht heeft en hij schrikt als hij haar ziet.

'Eet u wel goed, vrouw Rouveen?' vraagt hij de boerin en dan schudden de huisgenoten het hoofd.

'Het valt wel mee, hoor dokter! Ik ben nooit een grote eter geweest.' Clazien zelf denkt er anders over.

'Dat kan wel zijn, maar u ziet er niet goed uit en u moet aansterken. In veel gezinnen zijn versterkende middelen niet aanwezig om de eenvoudige reden dat daar geen geld voor is, maar hier zal aan goed eten geen gebrek zijn, neem ik aan.'

'We hebben alles om haar te laten aansterken, dokter, maar het is aan moeder de vrouw niet besteed,' zegt Siem.

'Het hoeven geen grote hoeveelheden te zijn. De juiste keuze van het voedsel is heel belangrijk. Ik zal wat medicijnen klaarmaken en dan geef ik ook een briefje mee, waarop ik de belangrijkste voedingsmiddelen zal noteren.'

'Ik zal erop toezien dat ze die ook neemt, dokter,' zegt Rietje. Ze is geschrokken van het bezorgde gezicht van de arts.

Bij de buitendeur vertrouwt de dokter Siem nog toe dat diens vrouw hard achteruitgaat. 'Ik schrok ervan.'

'Ze is altijd een kasplantje geweest, dokter,' zegt Siem en de arts knikt.

'Dat weet ik, Rouveen, en dus is het reden te meer haar goed in de gaten te houden. Waarschuw me als ze nog verder achteruitgaat.'

'Dat zal ik doen, dokter, bedankt voor uw bezoek.' Siem is aangeslagen door de sombere woorden van de arts, maar hij niet alleen, want ook Rietje en Jaan zijn ervan geschrokken.

De bezorgde blik van de dokter is ook Clazien niet ontgaan. Maar het verbaast haar minder dan haar huisgenoten. Zelf voelt ze ook wel dat het niet goed met haar gaat. Ze heeft weinig eetlust en is gauw moe. Mensen rond de veertig, zoals zijzelf, zijn in de kracht van hun leven. Dat geldt zeker voor Siem. Stel dat ze niet meer op krachten komt, of erger. Hoewel Rietje op eigen benen kan staan, behoeft ze toch nog veel zorg en liefde. Een toekomst met Gerrit zal haar heel zwaar vallen. Zorg en liefde heeft vooral ook Thijs nodig en dat geldt zeker ook voor Siem. Voor zover haar krachten toereikend waren, heeft ze hem die zorg gegeven, maar echte liefde niet. Anna is weduwe en een liefdevolle vrouw. Ze is altijd heel lief en zorgzaam voor Thijs geweest en Clazien heeft zelfs de indruk dat ze van de jongen houdt. Zorgzaam was ze al toen Thijs net geboren was. Zelf was Clazien te zwak om haar kind te voeden, en toen gaf Anna hem de borst, omdat ze Leentje af en toe nog voedde, had ze nog genoeg. Nu, zo veel jaren later, is ze te zwak om haar ongelukkige kind de zorg te garanderen die hij in de komende jaren nodig zal hebben. Liefde en zorg zal hij niet van Gerrit krijgen, want die lacht de jongen alleen maar uit. Onuitstaanbaar vindt ze dat.

Anna zegt voor Siem nog steeds een warm plekje in haar hart te bewaren. In het vertrouwelijke gesprek dat ze hadden, heeft ze het haar verteld, ook al omdat zijzelf zo openhartig tegenover Anna was. Anna zei vroeger als jong meisje zelfs verliefd op Siem geweest te zijn, maar het standsverschil maakte verdere omgang onmogelijk. Wat er gebeurd zou zijn als Anna de dochter van een rijke boer geweest zou zijn, laat zich raden. Of Siem destijds ook verliefd op Anna was en of hij ook nog steeds een warm plekje in zijn hart voor haar heeft, weet ze niet. Ze hebben het er nooit over gehad en Siem heeft er tegenover Anna, voor zover zij weet, ook nooit iets van laten blijken. Toch heeft ze al eens eerder bedacht dat Siem beter af geweest zou zijn met een gezonde vrouw als Anna dan met haar als rijke boerendochter.

Ze zou er vrede mee hebben, ja het zelfs toejuichen, als Siem en Anna na haar dood met elkaar zouden trouwen. Die gedachte laat haar niet los en dat heeft zeker te maken met haar gevoel dat ze het niet meer zo lang zal maken. Als Siem en Anna trouwen, kunnen zij er samen voor zorgen dat hun kinderen Rietje en Leen ook met elkaar kunnen trouwen. Beschermd door Anna en later door Rietje en Leen kan haar lieveling Thijs nog gelukkig verder leven. Al haar dierbaren kan ze op die manier gelukkig achterlaten. De gedachte alleen al helpt haar de angst voor de dood te verdrijven. Voordien moet ze er met Siem over praten.

Om alles goed te kunnen onthouden, schrijft zij al die overwegingen op in haar dagboek. Daarna bergt ze het weer op in het laatje van haar kastje en hangt de sleutel aan het spijkertje aan de achterkant.

Van de innerlijke roerselen van Clazien blijven de anderen onkundig. Wel maken zij zich grote zorgen om haar gezondheid. Rietje heeft de medicijnen bij de dokter opgehaald en ze heeft vooral het lijstje met de voorgestelde voedingsmiddelen in haar hoofd geprent.

'Er staan vier dingen op het lijstje die wij zelf niet in huis hebben, pa,' zegt ze. 'De dokter heeft er ook de winkel in de stad bij geschreven waar die artikelen te koop zijn.'

'Rijd dan vrijdag maar met me mee naar de markt, dan zet ik je wel bij die winkel af. Ik weet wel waar die te vinden is. Als je de boodschappen gedaan hebt, kun je zelf wel naar de markt lopen, zodat we samen weer naar huis kunnen rijden.'

'Wat voor soort winkel is dat dan, pa?'

'Op de winkelruit staat met grote letters "Koloniale waren, comestibles en grutten". Ernaast is een schoenwinkel. Omdat jij zo goed voor moeder zorgt, mag je daar een paar mooie rijglaarsjes kopen. Ik hoorde dat je die graag wilt hebben. Vind je dat leuk?'

'Ja, natuurlijk. Die doe ik dan 's zondags aan als we naar de kerk gaan.' Rietje fleurt er helemaal van op. Ze begrijpt eigenlijk niet dat vader haar heeft opgescheept met die onooglijke Gerrit. Het is altijd een lieve man geweest, maar voor dit probleem van haar heeft hij geen oog.

Die vrijdag rijdt ze samen met haar vader naar de markt en zoals afgesproken zet hij haar af bij de zaak waar zij de ontbrekende artikelen op het lijstje van de dokter kan kopen. Ernaast ziet ze ook de schoenwinkel. Vader legt haar uit hoe ze vandaar bij de markt kan komen en rijdt dan zelf de brik naar de stalling.

Als ze haar vader weer ziet, zegt ze: 'In de winkel vertelden ze me dat de dingen die de dokter op het lijstje geschreven heeft en die wij zelf niet hebben, uit Indië komen. Het zijn 'n soort kruiden.'

'O,' Siem kijkt een beetje bedenkelijk. 'Ik hoop dat je moeder die wil innemen, want ik heb gehoord dat die Indische producten vaak erg scherp zijn.'

'Als de dokter ze voorschrijft zullen ze best goed voor moe zijn,' vindt Rietje en haar vader knikt.

Clazien blijft op aandringen van haar huisgenoten na het bezoek van de arts wat langer in bed. Zelf doet ze er wat luchtig over, want, zo zegt ze, 'krakende wagens lopen het langst'. Maar de huisgenoten zijn een andere mening toegedaan. Ze hoeven de dokter maar aan te kijken om te weten dat het niet goed met haar gaat.

Thijs begrijpt er niets van dat moeder zo lang in bed blijft liggen. Hij komt met appels aandragen, want hem is verteld dat die goed voor je zijn. Dat heeft hij vele malen van de meelhandelaar gehoord als hij honger had en iets wilde eten. Zijn kinderlijke verstand zegt hem dat wat goed is voor hemzelf ook wel goed zal zijn voor moeder.

Clazien speelt het spel mee, ze neemt de appel aan en prijst de onnozele jongen dat hij erg goed voor haar zorgt. De appel opeten kan ze vervolgens niet, want haar keel is gezwollen en met moeite krijgt ze een paar lepels pap naar binnen. Dik is ze nooit geweest, maar nu is ze vel over been. Zoals ze de dokter beloofd heeft, doet Rietje haar uiterste best om haar moeder te laten eten, maar al vlug steekt Clazien haar hand op en beduidt dat ze genoeg heeft. Dan wil ze haar lieve moeder het eten niet opdringen, maar het doet haar veel verdriet. Ze verdringt haar tranen, want moeder mag niet zien dat ze het zich zo erg aantrekt. Het zou haar alleen maar van streek maken en dat wil Rietje voorkomen.

Als ze aan tafel schuift om met de anderen te gaan eten, krijgt ze zelf ook nauwelijks een hap door haar keel. Ze merkt dat het pa en Jaan ook zo vergaat. Allemaal zien ze de aftakeling van Clazien met lede ogen aan. Het is de laatste weken ook allemaal zo snel gegaan. Doordat moeder nauwelijks eten naar binnen krijgt, verzwakt ze ook zienderogen.

Wie ook erg meeleeft met het wel en wee van de familie is Anna. Ze komt nu hele dagen, want ze maakt zich niet alleen zorgen om Clazien, maar ook om Rietje.

'Blijf jij morgenochtend maar wat langer liggen, Rietje,' zegt ze op een dag. 'Ik kom wel wat vroeger, zodat jij wat langer in bed kunt blijven.' Ze ziet dat het meisje zich de ziekte van haar moeder heel erg aantrekt en is bang dat zij er zelf ook onderdoor zal gaan. Wallen onder Rietjes ogen en haar bijna wanhopige blik zeggen haar genoeg. Het kind gaat door een diep dal.

De dokter komt nu geregeld langs en op een dag acht hij het raadzaam Clazien te laten bedienen. Op dat moment is het voor de huisgenoten wel duidelijk dat het een aflopende zaak is. Rietje loopt met roodbehuilde ogen door het huis en weet met zichzelf geen raad. Ze kijkt Anna met een bijna radeloze blik aan, maar die geeft haar een wenk dat ze moet helpen de dingen klaar te zetten voor meneer pastoor als die haar moeder komt bedienen.

'Is het niet beangstigend voor moeder als ze ziet waar wij en meneer pastoor allemaal mee bezig zijn?' vraagt ze, maar Anna schudt haar hoofd.

'Je moeder heeft er weinig weet van, kindje. Door de medicijnen die de dokter haar gegeven heeft voor de pijn, is ze al aardig versuft. Op heldere momenten beseft ze zelf heus wel dat ze er heel slecht aan toe is.'

'Maar ik kan haar niet missen,' huilt Rietje. Om haar te troosten slaat Anna haar armen om het meisje heen.

'Blijf maar een beetje bij haar, Rietje, want als ze weer wat helderder wordt, wil ze misschien nog wat zeggen. Dan is het fijn voor haar dat er iemand is tegen wie ze kan praten, aan wie ze vragen kan stellen of wie ze opdracht kan geven iets te doen of te laten.'

'Dat zal ik doen,' snikt Rietje.

'Maar de dokter heeft meneer pastoor gewaarschuwd, dus moeten wij eerst alles voor hem in gereedheid brengen.' Anna heeft een bediening al eerder meegemaakt.

Nabij het ziekbed van Clazien plaatst zij een tafel en bedekt die met een witte doek. Daarop zet zij een kruisbeeld, een brandende kaars, wijwater, enige watten, wat broodkruim waarmee de pastoor zijn handen kan zuiveren en een weinig water, waarin hij zijn handen kan wassen.

Als meneer pastoor komt, knikt hij goedkeurend. 'Jullie hebben alles goed voorbereid,' zegt hij tevreden. Meestal moet hij eerst zelf instructies geven, want een bediening is voor mensen gelukkig geen dagelijks gebeuren.

Hij zalft de vijf zintuigen van de zieke met Heilige Olie, terwijl hij bidt: 'Door deze Heilige Zalving en Zijn allergoedertierenste barmhartigheid vergeve u de Heer al hetgeen gij misdaan hebt. Amen.'

'Je moeder ligt nou rustig te slapen, Rietje. Ik ga naar huis, maar ik kom morgenochtend terug,' belooft Anna. Liever zou ze bij het bedroefde meisje en de doodzieke boerin blijven, maar ze heeft ook haar eigen huishouden en daar leven ze met de zieke boerin mee, want moeder Anna houdt hen van de toestand daar op de hoogte.

Leen leeft niet alleen mee met de zieke boerin, maar ook en zelfs vooral met Rietje. Uit ervaring weet hij wat het betekent een ouder te verliezen, en uit de woorden van zijn moeder heeft hij begrepen dat er voor de boerin weinig hoop meer is. Het laatste bericht is dat ze bediend zal worden.

'Is Rietje erg van streek, moe?' vraagt hij als Anna terugkomt van de hoeve.

'Heel erg, Leen. Toen ze hoorde dat haar moeder bediend moest worden, verloor ze het laatste beetje hoop. Ik heb haar zo goed mogelijk getroost, maar echte hoop op herstel kan ik haar niet meer geven.'

'Ik wou dat ik de gelegenheid had om haar te troosten, moe, want als ze het van die Gerrit moet hebben zal dat haar niet veel helpen.'

'Je moet eens accepteren, jongen, dat Rietje nu het meisje van Gerrit Voort is en door jou niet getroost mag worden. Door altijd maar aan Rietje te blijven denken kwel je jezelf onnodig. Ook een lief meisje als Greetje Diewer is daar de dupe van geworden.'

'Ik kan er niks aan doen, moe. Toen pa verdronken was, heeft Rietje mij ook getroost.'

'Toen had ze nog geen verkering met Gerrit.'

'Als je morgen weer naar Zwickezicht gaat, wil je Rietje dan zeggen dat ik met haar meeleef?'

'Wij leven met alle bewoners van de hoeve mee. Dat weten ze en ze waarderen dat ook.'

Het is niet het antwoord dat Leen graag wilde horen, maar hij dringt niet verder aan. Zijn verstand zegt hem dat moeder gelijk heeft, maar zijn gevoel gaat daar niet in mee.

Nadat Clazien bediend is, waken de huisgenoten op toerbeurt bij de zieke. Rietje doet haar best haar tranen te bedwingen, want zij wil haar moeder niet nog meer emoties bezorgen. De komst van meneer pastoor was al heftig genoeg. De vrouw die haar altijd met zo veel liefde heeft verzorgd, is al bediend en zal zeker sterven. Zij kan het niet geloven. Haar lieve moeder nooit meer zien; het lijkt haar een gruwel.

Als zij gedurende de nacht waakt vallen haar ogen af en toe dicht en vecht zij tegen de slaap, maar daar mag zij niet aan toegeven. Ze denkt daarbij aan de woorden van tante Anna. Die zei dat ze maar een beetje bij moeder moest blijven, omdat die op heldere momenten misschien iets zou willen zeggen of vragen of wellicht opdracht geven iets te doen. Ze moet er niet aan denken dat moe dat zou willen doen als zij zit te slapen.

Toch verliest zij op een gegeven moment het gevecht tegen de slaap en dut in. Na een poosje schrikt ze wakker als ze bijna van haar stoel tuimelt. Als ze in de bedstee kijkt, ligt haar moeder haar met een glimlach om de mond aan te kijken. Ze pakt Rietjes hand en zegt zachtjes: 'Geef de moed niet op, lieverd. Ik krijg nog wel de gelegenheid pa op andere gedachten te brengen en hem te wijzen waar hij mijn gedachten kan vinden. Geluk is meer waard dan geld, kindje.'

Moeder Clazien zakt vermoeid terug in haar kussen en dan durft Rietje geen nadere uitleg te vragen. Moeder zegt dat zij pa wel zal wijzen waar hij haar gedachten kan vinden. Wat zou ze daar nou toch mee bedoelen?

HOOFDSTUK 9

Het zijn zware dagen voor de bewoners van Zwickezicht. Boerin Clazien is door meneer pastoor bediend en haar huisgenoten waken om beurten bij haar bedstee. De doodzieke boerin heeft haar dochter in haar laatste uren moed in gesproken en gezegd dat ze nog wel gelegenheid zal vinden vader Siem op andere gedachten te brengen en hem te wijzen waar hij háár gedachten zal kunnen vinden. Het is Rietje wel duidelijk wat haar moeder bedoelde met 'andere gedachten', maar ze begrijpt niet wat ze bedoelde toen ze zei dat ze vader wel zal wijzen waar hij háár gedachten zal kunnen vinden. Na de uitspraak is moeder Clazien doodmoe in haar kussen teruggezakt en Rietje had niet de moed te vragen wat moeder met haar laatste uitspraak bedoelde.

Terwijl zij zich dat vertwijfeld afvraagt tijdens haar nachtelijke wake, komt haar vader zachtjes de slaapkamer binnen. 'Ga jij maar wat slapen, meisje. Ik neem het wel van je over,' zegt hij.

'Dat is goed, pa,' reageert ze, maar ze draalt nog wat voordat ze weggaat, want ze zou haar vader wel willen vertellen wat moe gezegd heeft, maar ze weet niet of ze daar wel goed aan doet. Laat moe zelf maar met hem praten, want ze zei dat ze daar nog wel gelegenheid voor zou krijgen.

'Maakt u me wakker als ik het weer van u over moet nemen, pa?'

'Ik zie nog wel. Ga jij eerst zelf maar rusten, want ik zie dat je daar hard aan toe bent.'

Het klopt dat ze aan rust toe is, maar vooreerst kan ze de slaap niet vatten. De toestand van moeder en haar bemoedigende woorden houden haar wakker. Er gaat van alles door haar heen. Ze denkt aan gevallen waarin iemand op zijn of haar sterfbed een laatste wil uitspreekt en dat zo'n laatste wil vaak gerespecteerd wordt. Moe weet als geen ander met welk probleem zij worstelt en als moe haar moed inspreekt, dan doet ze dat niet zonder bedoeling. Stel dat haar laatste wil is dat zij met Leen zal kunnen trouwen, zal vader dat dan respecteren? Dat zou het onpeilbare verdriet om de dood van haar lieve moeder enigszins verzachten.

Met die gedachten van hoop en vrees valt zij eindelijk uitgeput in slaap, maar die rust is van korte duur.

'Word wakker, Rietje,' hoort ze haar vader zeggen, en haar eerste gedachte is dat ze de wake van hem over moet nemen, maar als hij bij haar bed komt schrikt ze van zijn bijna huilerige stem. 'Moeder is zojuist overleden, meisje.'

'Nee!' Het komt als een noodkreet uit haar mond. 'Heeft moe nog iets gezegd?' vraagt ze snikkend en als haar vader dan zijn hoofd schudt, stort haar wereld in. Nooit zal ze haar moeder om opheldering kunnen vragen, want haar lieve moeder is dood. Ze kan het nog niet bevatten en huilt, eerst geluidloos, maar dan zó dat Jaan er wakker van wordt. Siem heeft haar nog niet geïnformeerd, maar ze weet zo ook wel dat het afgelopen is met Clazien. Vlug gaat ze naar de bedstee van Rietje en probeert haar een beetje te kalmeren, maar dat gaat haar niet best af, want ook zijzelf is ten prooi aan hevige emoties.

'Ik ga Anna halen,' zegt Siem en voor even laat hij de twee met hun verdriet alleen.

'Is het zover?' vraagt Anna als ze in de vroege morgen Siem voor haar deur ziet staan. En Siem knikt.

'Ik wil je vragen te komen om Clazien af te leggen, Anna. Ik wil dat liever niet aan Jaan en Rietje overlaten.'

'Gecondoleerd met het verlies van je vrouw, Siem. Haar dood komt voor niemand van ons als een verrassing, maar het is niettemin verschrikkelijk. Ik waarschuw mijn kinderen even en ga met je mee.'

'Ik wacht in de tilbury op je.'

'Was je erbij toen ze stierf, Siem?'

'Ik had de wake van Rietje overgenomen, maar toen was ze al niet of nauwelijks aanspreekbaar. Op een gegeven moment pakte ze mijn hand en ik had de indruk dat ze me nog iets wilde zeggen, maar kennelijk had ze de kracht er niet meer voor en kort daarop is ze gestorven.'

'Je zult dus nooit weten wat ze je nog had willen zeggen en dat is naar.'

'Dat is zo en daarna was ze wel wat onrustig, maar ze heeft naar mijn mening toch geen doodsstrijd gehad.'

'Hoe zijn Rietje en Jaan eronder?'

'Die zijn helemaal van slag. Ikzelf trouwens ook, maar ik probeer me in te houden. We hebben het allemaal zien aankomen, maar als het moment daar is, dan ben je er toch kapot van.'

Even later ziet Anna zelf hoe verdrietig de twee zijn. In een opwelling slaat ze haar armen om de beide vrouwen heen en spreekt hen kalmerend toe. 'Moeder heeft nu rust en lijdt niet meer.'

'Maar ik kan haar nog niet missen, tante Anna,' huilt Rietje met haar hoofd tegen de borst van de tuindersvrouw.

'Kom me maar helpen met het afleggen van je moeder, meisje,' zegt ze zacht.

'Dat durf ik niet.' Maandenlang heeft Rietje intensief voor haar moeder gezorgd en af en toe haar armen om haar heen geslagen, maar nu ze dood is, vindt ze het plotseling eng.

'Dat durf je wel, kindje. Het is goed als je ook na haar dood nog de beste zorg aan je moeder besteedt.'

'Ja, dat is zo!' Rietje droogt haar tranen en haalt het doodshemd van haar moeder uit de linnenkast. Ook Jaan wordt gevraagd te helpen, want die zit als een ziek vogeltje te snikken in een hoek van de kamer. Voor haar was de boerin niet minder dan een dierbaar familielid. Vanaf de eerste stap van Clazien in de hoeve heeft zij haar gediend. Zij heeft de kinderen geboren zien worden en meegeleefd met de van pijn kronkelende kraamvrouw. Met de anderen heeft zij getreurd nadat bekend geworden was dat Thijs achterlijk zou blijven. De jongen ligt nog vredig te slapen en is er zich niet van bewust dat zijn moeder is gestorven. Ze laten hem maar slapen en willen hem, als hij wakker is, behoedzaam van het vreselijke gebeuren op de hoogte stellen.

Nadat de vrouwen hun werk gedaan hebben, komt dokter Vredevoort langs. In de vroege morgen heeft Siem de dokter van het overlijden van zijn vrouw op de hoogte gesteld.

Hoewel het een formaliteit is, moet de arts officieel de dood vaststellen. Hij wenst de bewoners sterkte in de komende dagen en belooft hun dat hij langs de pastorie zal gaan om meneer pastoor te informeren.

Voor hem zit de taak erop, alleen neemt hij zich voor na de begrafenis terug te gaan naar Zwickezicht om eens met Rietje te praten. Hij heeft de indruk dat het meisje een zenuwinzinking nabij is.

Waar de dokter zijn taak beëindigd heeft, neemt meneer pastoor die over. Als hij op de hoeve arriveert, spreekt hij de bewoners eerst moed in en bidt dan samen met hen voor de zielenrust van de overledene. Later bespreekt hij met Siem de praktische zaken zoals de rouwmis en de begrafenis. Hij heeft te doen met de rijke boer en weet dat die niet op een paar centen hoeft te kijken. Er wordt ook een reeks missen voor de overledene afgesproken.

In de middag wordt een glanzende mahoniehouten kist

met zwaar koperbeslag op de hoeve afgeleverd. Daarna wordt de dode gekist en opgebaard in de mooie kamer van de hoeve.

Daar komen ook die avond familie, vrienden en bekenden afscheid nemen van de gestorven boerin. Degenen die haar een poos niet gezien hebben, schrikken van het smalle en ingevallen gezicht van de dode. De gemeenplaats 'ze legt er môi bai' wordt niet gehoord.

Ze bidden gezamenlijk voor de zielenrust van de overledene en hebben medelijden met de huisgenoten van Clazien die er verslagen bij staan. Tussen de knokige vingers van Clazien ligt een rozenkrans. Door haar tranen heen kijkt Rietje naar die handen. Het zijn dezelfde handen die haar vaak getroost en gestreeld hebben, met diezelfde handen pakte haar moeder Rietje op haar sterfbed vast om haar moed in te spreken. Helaas heeft moeder niet meer de kracht gehad om er met vader over te spreken, noch heeft ze hem kunnen wijzen waar hij haar gedachten, welke die ook moge zijn, zou kunnen vinden. Die vraag houdt Rietje nog steeds bezig. Kon ze moeder nog maar even tot leven wekken, dan kon deze haar zeggen wat ze bedoelde. Maar ze moet berusten en accepteren dat haar lieve moeder dat geheim in haar graf zal meenemen.

De volgende dag is de rouwmis. De klokken van de kerk strooien hun sombere klanken over het dorp uit. Voor veel dorpelingen, vooral de rijke boeren, is dat de oproep om naar de kerk te gaan.

Rietje ondergaat de hele plechtigheid als een marteling, en dat ondanks de grote belangstelling en de welgemeende woorden van de pastoor.

Aan de hand van Gerrit loopt zij achter de kist als die naar het kerkhof gedragen wordt. Het kerkkoor zingt de antifoon *In paradisum*.

Aan de rand van het graf stelt de directe familie zich op

met daarachter vrienden en bekenden. Rietje ondergaat alles als in een roes. Als de dragers de kist in het gapende gat laten zakken, zou zij het willen uitschreeuwen van ellende, maar ze houdt zich in en vangt de blik op van Leen, die haar met betraande ogen aankijkt. Als ze op Gerrit let, ziet zij dat zijn ogen droog blijven. Op zijn manier leeft hij met haar mee en hij probeert haar op een onhandige manier te troosten, maar het doet haar niets. Zij is wanhopig van verdriet en wordt meer getroost door de betraande ogen van haar lieve jongen die echt met haar meeleeft.

Ook Anna ziet de tranen van haar zoon. Dan weet zij dat niet alleen Rietje, maar ook haar eigen kind het moeilijk heeft en zijn emoties nauwelijks kan verbergen. Dat klopt ook wel, want Leen heeft niet alleen verdriet om de dood van de liefdevolle boerin, maar hij heeft het ook moeilijk omdat hij zijn lieve meisje zijn steun, die zij zo hard nodig heeft, niet kan geven.

Dat zij de steun en liefde van haar jongen hard nodig heeft, beseft Rietje meer dan ooit. Gerrit houdt haar hand vast en herhaalt dat ze flink moet zijn, maar dat ervaart ze niet als troost. Ze probeert ook flink te zijn, maar de dood van haar moeder heeft haar wereld op z'n kop gezet. Ze kan aan niets anders denken en zou zo graag de troostende armen van Leen om zich heen voelen, maar Leen moet ze vergeten. Een beetje hoop had ze toen moeder zei dat ze de moed niet moest verliezen, want dat ze pa wel op andere gedachten zou brengen door hem te wijzen waar hij haar gedachten zou kunnen vinden. Ze gist nog steeds naar haar moeders bedoeling en kan aan niets anders meer denken. Plichtmatig schudt zij de handen van de mensen die haar en haar familie komen condoleren. Ze beleeft het in een roes en vergeet al die gezichten, behalve dat ene gezicht, dat gezicht met die zachte en bedroefde ogen, het gezicht van haar lieve jongen die haar hand wat langer vasthield dan de anderen. Ze had die hand nog wel langer willen vasthouden, maar de rij belangstellenden schoof verder en daarmee ook haar jongen.

Ze is opgelucht als alles voorbij is, maar beseft niet dat dan pas de leegte komt. De dagen eraan voorafgaande is ze bezig geweest met alles wat met moeder te maken had, maar nu is alles voorbij. Moeder ligt in een diep gat op het sombere kerkhof van het dorp, de familie heeft afscheid genomen en is naar huis. Met haar eigen familieleden moet zij de draad weer oppakken. Het eten moet gekookt worden, de was moet 's maandags schoon op de bleek liggen of aan de lijn hangen en de dieren moeten verzorgd worden. De koeien hebben er geen boodschap aan dat de boerin gestorven is. Zij willen op tijd gemolken worden. De varkens gillen in hun hok als ze niet op tijd hun slobber krijgen.

Thijs is verward en verdrietig. Hij begrijpt niet wat dood is, want daar kan hij met zijn kleuterverstand niet bij. Hij is de enige in het gezin die denkt dat moeder wel weer terug zal komen uit de kerk, waar ze met de anderen naartoe gegaan is. De gezinsleden laten hem in die waan en Rietje benijdt hem een beetje, want ook zij zou wel willen geloven dat moeder eens terug zal komen, maar zij is bij haar volle verstand en weet dat dat nooit zal gebeuren.

Af en toe gaat ze Aagd Groot gezelschap houden, want die zit ook maar alleen in haar huisje en treurt nog om de dood van haar man Jaap. Haar dochters komen geregeld op bezoek, maar meestentijds is ze toch alleen. Het lijkt wel of tegelijk met haar verdriet ook haar krachten afnemen. Ze loopt slecht en Rietje doet vaak een boodschapje voor haar en helpt haar als er moeilijke klussen in het huishouden gedaan moeten worden.

Op een dag heeft Aagd een nieuwtje.

'Ik wil het jou al wel vertellen, maar het hele dorp hoeft het nog niet te weten.'

'Je maakt me nieuwsgierig, Aagd,' zegt Rietje.

'Ik ga jullie verlaten, meisje. Mijn dochter Truus heeft me aangeboden bij haar in te trekken en ik denk dat ik dat maar doe. Dan heb ik meer aanspraak en kan ik meer genieten van mijn kleinkinderen. Ik ben gek op kleine Wimpie. Als ik er ben, kletst hij de oren van m'n kop.'

'Mag ik het aan mijn vader vertellen?'

'Ja, natuurlijk, hij moet het eigenlijk als eerste weten, maar als jij het hem wilt vertellen vind ik het ook goed.'

'Ik was vandaag bij Aagd, pa, en ze had een nieuwtje. Ze zei dat u het eigenlijk als eerste zou moeten horen, maar ze vindt het goed dat ik het u vertel.'

'Laat maar eens horen dan.' Siem kijkt zijn dochter aan en vraagt zich af wat Aagd nou voor een nieuwtje kan hebben dat hij als eerste zou moeten horen.

'Aagd trekt bij haar dochter Truus in.'

'O, dat is echt nieuw voor me. Ik zat er al een beetje mee in, want als er hier een nieuwe knecht komt, moet die natuurlijk wel kunnen wonen. Aagd uit haar huisje zetten zou ik niet kunnen. Nu ze zelf gaat, is dat probleem van de baan.' Hiermee gunt Siem Rouveen zijn dochter weer eens een blik op zijn sociale karakter en weer verbaast het haar. Twee zulke tegenstrijdige kanten in het karakter van haar vader vindt ze uiterst vreemd. Zijn onverzettelijkheid als het om haar verkering met Gerrit gaat, is daarmee in tegenspraak.

'Wacht u tot mei met een nieuwe knecht aan te nemen, pa?'

'Dat zal wel moeten, want, zoals je weet, verhuren knechten zich altijd met ingang van die datum.'

'Maar als er nou iemand is die verlegen zit om woonruimte en eerder wil veranderen?'

'Je zet me aan het denken, Rietje. Ik ga een advertentie plaatsen voor een knecht en zal in de advertentie zetten dat de gegadigde meteen kan beginnen en dat er een huis met

184

tuin disponibel is. Dat laatste lokt jonge, trouwlustige mannen.'

'Ik hoorde van Rietje dat je bij je dochter intrekt, Aagd.'

'Dat is zo, Siem. Het zal even wennen zijn, want zoals je weet liggen in dit huisje al mijn dierbare herinneringen. Alle jaren van mijn trouwen heb ik hier met Jaap gewoond en hier zijn onze kinderen geboren.'

'Ik heb zelf nog bij jou op schoot gezeten, Aagd.'

'Je was een lief jongetje, Siem, en je bent altijd goed voor Jaap en voor mij gebleven. Ik zal best een traantje moeten wegpinken als ik hier de deur achter me dichttrek.'

'Dat kan ik me voorstellen, Aagd. Wanneer gaat het gebeuren?'

'Binnen een maand, Siem. Heb je bepaalde plannen met het huisje?'

'Ik wil het mijn nieuwe vaste knecht aanbieden.'

'Dan had ik toch al het veld moeten ruimen,' veronderstelt ze, maar Siem schudt zijn hoofd.

'Ik had het niet over mijn hart kunnen verkrijgen jou uit je huisje te zetten, Aagd. Liever nog had ik er voor mijn nieuwe knecht een huis naast laten bouwen.'

'Je bent nog net zo lief als toen je als kleine jongen bij me op schoot zat, Siem!' Aagd krijgt er de tranen van in haar ogen.

'Het zal wel schikken, hoor!' Het is een gemeenplaats die mensen uiten als ze onverholen complimenten krijgen.

Veertien dagen later staat de advertentie in de krant die in een grote kring rondom de gemeente verspreid wordt.

Zwickezicht heeft kennelijk een goede naam in de regio, want er melden zich achtereenvolgens vier kandidaten. Een van hen is een jonge kerel die meteen kan beginnen en graag wil trouwen. Het is Cor Wenting en hij werkte tot voor kort bij een boer in Veendorp die wegens hoge leeftijd zijn hele hebben en houwen verkocht. Cor heeft er vanaf zijn veertiende gewerkt, maar het was niet vanzelfsprekend dat hij bij de nieuwe eigenaar zou kunnen blijven.

Van de vier kandidaten spreekt Cor Wenting Siem het meest aan. Hij is drieëntwintig jaar oud en zijn toekomstige vrouw ook.

Zodra Aagd bij haar dochter is ingetrokken, bestelt Siem de timmerman en de schilder om het oude huisje vanbinnen en vanbuiten wat op te knappen. Alie Zaalberg, de toekomstige vrouw van Cor, komt kijken als alles opgeknapt is en ze is verrukt. Samen met Rietje hangt ze nieuwe gordijnen op en veel spulletjes van Aagd kan ze voor een prikkie overnemen. Het klikt meteen tussen Alie en Rietje.

Cor heeft tegen Siem gezegd dat zijn vrouw graag voor halve dagen op de hoeve zou willen werken.

'Jij kunt goed met Alie overweg, hè Rietje?' vraagt Siem dan ook aan zijn dochter en als die ijverig knikt, stelt hij voor om Alie voor halve dagen aan te nemen. Hij durft het voor te stellen, omdat Anna heeft laten doorschemeren dat zij na de dood van Clazien haar verzorgende taak als beeindigd beschouwt. Rietje weet dat ook en ze heeft geen enkel bezwaar.

Nadat Cor Wenting met zijn Alie in Veendorp getrouwd is, nemen zij hun intrek in het daggeldershuisje waarin Jaap met zijn Aagd gewoond heeft. Ze zijn zeer tevreden met hun mooi opgeknapte huisje, en Cor is danig in zijn schik met de grote lap grond, die bij het huisje hoort.

Zijn eerste werk is de tuin diep om te spitten, want daar is Jaap niet meer aan toegekomen. Het is februari, dus hij moet nog enkele maanden geduld hebben eer hij met pooten zaaigoed aan de gang kan.

Het is voor Rietje wel wennen elke dag de vrouw van de nieuwe knecht in plaats van tante Anna over de vloer te hebben. Wel is Alie Wenting een vlotte en vrolijke meid en al bij het gezamenlijk ophangen van de gordijnen in haar huisje heeft Rietje haar beter leren kennen. Alie heeft tot haar trouwen als eerste meid bij een boer in Veendorp gewerkt, dus draait zij op Zwickezicht nergens haar hand voor om. Eerst was Rietje bang dat Jaan zich gepasseerd zou voelen, maar die heeft vrede met de komst van Alie, die ze steevast Aaltje noemt. Hoewel de krachten van Jaan ook afnemen was zij tot dusverre onmisbaar voor de kaasbereiding, maar nu blijkt Alie ook daarin bedreven te zijn, want bij de boer waar zij werkte, werd ook veel en goede kaas gemaakt. Siem prijst zich gelukkig dat hij het met de nieuwe knecht en diens vrouw zo goed getroffen heeft, want ook Cor is heel goed voor zijn werk.

De komst van de twee jonge mensen verdringt enigszins de droeve stemming die sinds de dood van Clazien in en om de hoeve hangt. Toch kan Rietje de bemoedigende en troostende woorden van tante Anna niet missen. Ze was altijd al een soort tweede moeder voor haar en dat geldt ook voor Thijs, want die mist zijn eigen moeder ook heel erg. Af en toe vraagt hij wanneer ze nou eindelijk eens terugkomt en dan verzinnen ze maar iets wat Thijs met zijn kleine verstand kan begrijpen.

Als Thijs klaar is met zijn werk bij de meelhandelaar loopt hij nogal eens naar tante Anna. Daar is hij altijd welkom en zij maakt het gemis van zijn eigen moeder een beetje goed. Ook Rietje loopt graag even aan bij tante Anna, want met niemand kan zij zo goed praten als met haar. Een oplossing voor Rietjes problemen heeft Anna niet. Anna weet ook niet wat moeder Clazien op haar sterfbed bedoelde, toen ze zei dat ze vader Siem wel zou wijzen waar hij haar gedachten zou kunnen vinden. Evenmin kan Anna Rietje verlossen van Gerrit, hoe graag ze het meisje ook als haar eigen schoondochter zou hebben. Thuis praat Rietje maar niet over haar bezoeken aan Anna, want een prettige bijkomstigheid is dat ze bij Anna ook Leen af en toe treft. Als ze naar huis gaat, loopt hij vaak even met haar mee naar buiten en op een plekje waar niemand hen kan zien, vallen ze elkaar om de hals. De liefde die ze voor elkaar voelen is springlevend, maar hun hoop dat er voor hen ook een toekomst is weggelegd is dood.

'Ik kijk altijd uit naar deze momenten, schat,' zegt Leen tussen twee kussen door. 'Natuurlijk weet ik dat er voor ons samen geen toekomst is, maar ik kan je gewoonweg niet missen.'

'Ik jou ook niet, lieverd. En toch denk ik steeds maar weer aan de laatste woorden van mijn moeder.'

'Dat je de moed niet moet opgeven?'

'Ja, ik weet wel dat het de laatste strohalm is waaraan ik me vasthoud, maar als ik alle hoop laat varen ben ik al diep ongelukkig voordat ik met Gerrit trouw.'

'Niet aan denken, lieveling. We moeten de momenten waarop we nog samen zijn, koesteren.'

De verkering met Gerrit wordt een liefdeloze sleur. Zo gaan de maanden voorbij en wordt het, na een natte winter, weer voorjaar zonder dat er bijzondere dingen gebeuren.

Zoals altijd komt Gerrit op de ene zondag naar Zwickezicht en gaat Rietje op de andere zondag na de mis op de koffie bij de familie Voort.

Cor en Alie Wenting komen uit een andere plaats en kennen niemand in het dorp waar ze nu werken en wonen. Ze kennen dus ook de familie Voort niet en maken op een zondag kennis met Gerrit. Aan haar gezichtsuitdrukking ziet Rietje dat Alie schrikt. Alie laat echter niets merken, maar als ze samen met Cor is, begint ze erover.

'Ik weet dat Rietje verkering heeft, maar het is een erg knappe meid en ik dacht dat ze ook wel een leuke vrijer zou hebben.'

'En die Gerrit valt jou tegen,' concludeert Cor.

'Jou niet dan?'

'Het zal wel de zoon van een rijke boer zijn en dan letten ze niet zo op het uiterlijk,' weet Cor.

'Maar zo'n knappe meid als Rietje zadel je toch niet op met zo'n knul! Ik kan me niet voorstellen dat ze hem zelf heeft uitgekozen.'

'De boeren zoeken wat ze noemen "'n hil beste partai" voor hun kinderen.'

'En of zo'n "partai" nou "lullek as de nacht" is, mag niet "bommen",' lacht Alie en dan proesten ze het beiden uit van het lachen.

'Och, het maakt mij ook niet zo veel uit. Je centen zitten goed en dus mag je blijven.'

'Wat jij, dondersteen!' gilt Alie. Ze pakt de mattenklopper en maakt een slaande beweging, maar Cor neemt de benen en smeekt om vergiffenis. Ze eindigen in elkaars armen met hun monden op elkaar.

'Je bent mijn lieve Aaltje,' fluistert hij en dan moet ze lachen en ze zegt dat de oude Jaan Tamman haar ook zo noemt.

'Zeg er maar niks over tegen Rietje, hoor!' waarschuwt Cor. 'Als die knaap hier later boer wordt, wordt hij mijn baas.'

'Dat zal nog wel een poos duren, want de boer is nog jong genoeg,' vindt Alie en daar zijn ze beiden blij om, want ze hebben allang ontdekt dat Siem Rouveen een aardige kerel is.

Als de koeien het land op gaan, breekt de grote schoonmaak aan. Behalve de stal moet ook de woning een grote beurt hebben. Het kamertje van de gestorven boerin is na haar dood uit piëteit ongemoeid gelaten, maar Rietje besluit alles na al die maanden op te ruimen. De privéspulletjes van moeder Clazien worden voorzichtig uit haar kastje gehaald en afgestoft. Alie helpt haar met de schoonmaak en ook met het opruimen van het kleine kamertje. Rietje geeft de spulletjes aan en Alie stoft ze af.

'We hebben alles gehad, Alie, alleen dit ene laatje zit op slot en ik weet niet waar het sleuteltje is,' zegt Rietje. Ze besteden er verder geen aandacht aan en gaan door met het opruimen en afstoffen.

Om ook de achterkant van het kastje te kunnen afstoffen trekt Alie het een stukje naar voren en dan ziet ze het sleuteltje hangen. 'Hier hangt een sleuteltje, Rietje. Zou dat van het dichte laatje zijn?'

'Dat kan heel goed,' reageert Rietje en terwijl Alie bezig is met het afstoffen van de achterkant past zij het sleuteltje op het laatje en dan gaat het open. Ze vindt er alleen een boekje in en vermoedt dan dat dat het dagboekje van haar moeder is. Ze weet wel dat moe af en toe dingetjes opschreef in een boekje, maar ze heeft nooit de kans gehad of de behoefte gevoeld erin te kijken.

'Past het sleuteltje op het dichte laatje, Rietje?' vraagt Alie en Rietje knikt.

'Ja, het past, maar er zit niks bijzonders in, hoor!' Voor Alie is een boekje niks bijzonders, maar zelf is Rietje toch benieuwd wat moe er de laatste tijd zoal in geschreven heeft. Als ze stiekem even kijkt, ziet ze haar naam en die van Leen en die van tante Anna. Ze stopt het boekje in haar schortzak, want midden op de dag onder het drukke schoonmaakwerk kan ze niet rustig gaan zitten lezen. Ze neemt zich voor het boekje die avond mee te nemen naar haar kamertje en het dan te lezen.

'Zullen we ook de matten maar naar buiten brengen, Rietje?' vraagt Alie, maar de vraag dringt niet goed tot Rietje door. Ze brandt van nieuwsgierigheid wat moe de laatste tijd in haar boekje geschreven heeft. Misschien wel helemaal niks, maar toch zag ze in de gauwigheid haar naam en die van Leen en die van tante Anna. Ze kan eigenlijk aan niets anders meer denken en kijkt Alie met een verwezen blik aan.

'Wat zei je, Alie?'

'Of we de matten naar buiten moeten brengen om ze te kloppen. Het zijn biezen matten en die worden niet gauw vuil, maar er komt wel stof onder.'

'Ja, doe maar, Alie.' Het kan Rietje op dit moment eigenlijk niet schelen wat er met de matten moet gebeuren. Belangrijk is dat de dag vlug voorbijgaat en ze met het boekje haar kamertje kan opzoeken. Vóór de avond lukt dat niet, want er moet ook gekookt worden en er valt verder nog zó veel te doen.

'Wat zit jij te schrokken, heb je haast?' vraagt vader Siem die avond. 'Of ben je uitgehongerd van het harde werken?'

Het laatste kan Siem zich voorstellen, want hij weet dat de grote schoonmaak het uiterste van de vrouwen vergt.

'Nee hoor!' Rietje schrikt een beetje van de opmerking van haar vader. Ze ontkent het wel, maar ze heeft wel degelijk haast, want hoe sneller ze klaar is, des te vlugger kan ze in het boekje van moe gaan lezen.

Sedert Alie een groot deel van het zware werk voor haar rekening neemt, kan Jaan zich beperken tot het lichtere werk. Ze helpt afruimen en afwassen, maar daarna gaat ze graag in de makkelijke stoel zitten die Siem enkele jaren eerder voor haar aangeschaft heeft. Wel heeft ze altijd een mand sokken naast zich, want het stoppen van de sokken beschouwt zij al vele jaren als een van haar taken.

Hoe rijk de boer ook is, de sokken worden gestopt totdat de voeten ervan bijna uitsluitend uit stopsels bestaan. Met de ervaring van jaren laat Jaan de maasbal in de sok glijden tot aan het gat. Het bijna onzichtbaar stoppen van de sokken heeft zij in de loop der jaren tot een ware kunst verheven.

Rietje wacht het niet verder af en gaat naar boven met de smoes dat ze op haar kamertje nog wat wil opruimen. Dan begint ze te lezen.

Ik maak me zorgen om de toekomst van Thijs. Ook de toekomst van Rietje baart me zorgen. Beiden hebben ze liefde nodig, maar de zekerheid dat ze die ook krijgen is er niet. Van Gerrit zal Rietje nooit de liefde krijgen die ze nodig heeft, en als ze samen trouwen en later voor Thijs zullen moeten zorgen, dan worden mijn beide kinderen ongelukkig. Gerrit is niet aardig voor Thijs. Hij lacht hem alleen maar uit. En Rietje geeft niets om Gerrit, maar houdt van Leen. Ook Siem heeft liefde nodig en ik weet dat Anna al vanaf vroeger een warm plekje in haar hart voor Siem heeft. Zij vindt, evenals ik, dat Siem te veel vastgeroest zit in de oude boerentradities, maar wel een goede man is. Hij heeft zeker het beste met Rietje voor, maar hij verwoest haar leven door haar te laten trouwen met Gerrit. Hoewel ik niet weet hoe Anna erover denkt, zou ik het voor allen die mij dierbaar zijn, wensen dat zij met Siem trouwt en dat zij dan samen hun kinderen Leen en Rietje met elkaar laten trouwen.

Verbijsterd door hetgeen zij zojuist gelezen heeft, zit Rietje met het boekje in haar handen. Het beeld van haar doodzieke moeder doemt weer voor haar op en zij denkt terug aan haar moeders laatste woorden: 'Ik krijg nog wel de gelegenheid pa van gedachten te doen veranderen en hem te wijzen waar hij mijn gedachten zal kunnen vinden.' Die gelegenheid heeft haar lieve moeder niet meer gehad, maar haar gedachten heeft Rietje nu in handen. Maandenlang heeft zij zich het hoofd gebroken over de betekenis van die laatste woorden van haar moeder. Van alles is haar door het hoofd gegaan. Nu is het haar duidelijk. Moe had niet verwacht dat zij zo plotseling zou sterven en dacht de tijd nog wel te krijgen met pa te praten. Niet zomaar te praten, maar hem op haar laatste wil te wijzen. Voor het geval dat ze de kracht niet meer zou hebben die wil duidelijk te verwoorden, schreef ze haar gedachten op in haar dagboekje. De tijd pa te wijzen waar hij haar gedachten zou kunnen vinden werd haar niet gegund. Wel heeft Rietje begrepen dat moe op het laatste moment getracht heeft nog iets te zeggen, maar er niet meer toe in staat was.

Ze is te opgewonden om hetgeen ze gelezen heeft voor zichzelf te houden en neemt het boekje mee naar de huiskamer waar haar vader de marktberichten in de krant doorneemt. Hij is verdiept in het verloop van de prijzen en let niet op zijn dochter. Ze wilde haar kamertje nog wat opruimen en zal daar nu mee klaar zijn, denkt hij. Maar dan hoort hij haar snikken.

'Wat heb je daar en waarom huil je, meisje?' vraagt hij met een verbaasd gezicht. Het kwam de laatste maanden wel vaker voor dat ze stil zat te huilen als ze 's avonds samen in de huiskamer zaten, en hij begreep dan dat ze nog treurde om de dood van haar moeder. Zelf heeft hij het er ook zwaar mee gehad, maar de scherpe kantjes van het verdriet slijten langzaamaan een beetje.

Rietje zit zacht te snikken met het dagboekje als een dierbaar kleinood tegen haar borst geklemd. Tranen lopen over haar wangen en ze kan eerst geen woord uitbrengen van emotie.

Siem begrijpt er niets van, maar legt wel een verband tussen het boekje en haar emotie. 'Wat is dat voor een boekje en wat maakt je zo van streek?'

'Het is het dagboekje van moe.'

'Maar hoe kom je daar zo ineens aan?'

'Samen met Alie was ik bezig het kamertje van moe op te ruimen. Een tijdlang heb ik er niet toe kunnen komen, maar nu na zo veel maanden wel. Ook het kleine kastje van moe hebben we opgeruimd en de laatjes afgestoft, maar een van de laatjes zat op slot en ik wist niet waar het sleuteltje was.'

'En dat heb je nu gevonden, neem ik aan.'

'Alie vond het aan een spijkertje achter het kastje.'

'Ik weet dat je moeder een boekje had waar ze af en toe dingetjes in noteerde, maar wat maakt jou dan zo van streek?'

'Leest u het dan zelf maar,' zegt ze en ze overhandigt haar vader het boekje.

'Wat moet ik dan lezen?'

'Het laatste stukje, want daar gaat het om. Dat heeft moe kennelijk kort voor haar dood geschreven. Ze wilde er nog met u over praten, maar daar heeft ze op het laatste moment de kracht niet meer voor gehad.'

'Ik weet dat ze nog iets wilde zeggen en ik heb het steeds erg naar gevonden dat dat haar toen niet meer gelukt is.'

'Mij zei moe dat ik de moed niet moest verliezen, want dat ze nog met u zou praten en u wijzen waar u haar ge- dachten zou kunnen vinden. Tot vanavond was het voor mij een raadsel wat ze daarmee bedoelde, maar nu is het mij duidelijk. Lees maar, pa!' Ze begrijpt zelf niet hoe ze haar emoties zo goed de baas kan blijven, maar van de re- actie van haar vader hangt het geluk of ongeluk in haar verdere leven af.

Dan leest Siem wat Clazien kort voor haar dood ge- schreven heeft. Hij wordt doodsbleek en zit als versteend op zijn stoel. Dan blijkt weer eens dat de ogenschijnlijk strenge boer ook niet van gevoelens gespeend is, want ook bij hem rollen de tranen over zijn wangen. De laatste wens en de voorstellen van zijn overleden vrouw grijpen hem sterk aan.

'Ik leg het boekje wel in het kabinet,' zegt hij. 'Anderen hebben er niets mee te maken.'

'Maar ik en Leen en tante Anna wel!' protesteert Rietje. Het zal toch niet waar zijn dat pa het boekje opbergt en er verder geen gevolg aan geeft.

'Laat me dit even verwerken, kindje. Ga maar slapen, ik kom er wel op terug.'

Ze wil niet verder aandringen en na het pap eten en bidden gaat ze naar bed, maar van slapen komt vooralsnog niets. Pa komt erop terug, dat is alvast iets. Maar wat betekenen die woorden? Gaat hij doen wat moe voorgesteld heeft of blijft het boekje in het kabinet liggen en verandert er niets? Pa was erg aangeslagen door de boodschap van moe. Ze kan zich toch nauwelijks voorstellen dat hij er niets mee doet.

Stel je nou toch eens voor dat pa doet wat moe voorstelt. Het is te mooi om waar te zijn. Gerrit krijgt de bons en zij mag gaan verkeren met Leen. Na een poosje trouwt pa met tante Anna. Maar kan dat allemaal wel? Hij moet met hangende pootjes naar Chris Voort en zeggen dat hij zich vergist heeft. Dat doet pa niet, want dat is zijn eer te na.

Trouwen met tante Anna? Misschien wil deze dat helemaal niet. De blijdschap die Rietje aanvankelijk voelde, ebt weg. Ze heeft zich blij gemaakt met een dooie mus. Die lieve moeder heeft het zo goed bedoeld, maar heeft zij de werkelijkheid niet een beetje uit het oog verloren? Ze piekert zich suf en valt uiteindelijk in een onrustige slaap.

In een andere bedstee van de hoeve ligt Siem te hanewaken. Nooit zou hij overwegen Anna, op wie hij vroeger gek was, te vragen zijn vrouw te worden. In haar dagboek stelt Clazien het voor en ze schrijft te weten dat Anna altijd een warm plekje voor hem in haar hart gehad heeft. Is het bij hem anders? Hij wilde Clazien altijd tegen onheil beschermen, maar hield hij ook echt van haar? En zij? Onbelangrijke vragen in hun kringen, maar toch voelt hij dat de eenzaamheid aan hem knaagt en hij nog steeds graag in het gezelschap van Anna is. Sterker nog, hij heeft de laatste jaren vaak naar haar verlangd, want zij was en is een mooie vrouw. Maar er is meer: Anna is lief voor Rietje en voor Thijs en ze was uiterst zorgzaam voor Clazien. Wat zou zij doen als hij het advies van Clazien zou opvolgen en haar zou vragen zijn vrouw te worden? Maar hij kan niet alleen aan zichzelf en aan Anna denken, want de voorstellen van Clazien gaan verder. Rietje en Leen zouden moeten trouwen en daarmee zou ook de toekomst van Thijs veiliggesteld worden. Wat ze over Gerrit schrijft, is waar. Ook hij heeft wel gemerkt dat Gerrit geen enkel gevoel voor zijn achterlijke zoon kan opbrengen. Dat is nu zo en dat zal later zeker niet veranderen, misschien wel verergeren. Eigenlijk is die Gerrit een lelijke naarling, maar hij is de zoon van een van de rijkste boeren van het dorp. Voor hem de belangrijkste overweging om hem aan Rietje te koppelen. Deed hij daar wel goed aan? De afspraak met Chris Voort ongedaan maken druist in tegen zijn eergevoel. Hij zou Chris en Hes moeten vertellen dat de trouwerij tussen Gerrit en Rietje van de baan is en dat hijzelf zal gaan trouwen met de weduwe Bovenkamp. Ze zullen hem voor gek verklaren. Maar draaft hij in gedachten nu niet te ver door? Hij weet helemaal niet of Anna wel met hem zal willen trouwen. Als hij het zelf wil en de consequenties accepteert, dan zal hij haar toch eerst moeten vragen. Wil hij zelf? Na de geboorte van Thijs hebben hij en Clazien nauwelijks meer als man en vrouw met elkaar geleefd. Hij volgde daarmee het dwingende advies van dokter Vredevoort op, maar het viel hem zwaar. Ja, hij hunkert naar een lieve vrouw als Anna, maar wat is wijs?

Hij komt er niet uit en als de wekker afloopt, heeft hij nog nauwelijks geslapen.

De dagen na de emotionele avond waarop Rietje haar vader het dagboekje van moe heeft laten lezen, draaien ze – niet wetend wat te zeggen – om elkaar heen. Af en toe ziet zij een vragende blik in de ogen van haar vader, maar daar blijft het bij. Wel weet ze zeker dat de voorstellen in het dagboekje van haar moeder vader nog steeds heel intensief bezighouden. Ze merkt het aan hem, want hij zit af en toe met zijn hoofd in zijn handen, staat dan op en loopt rusteloos heen en weer. Zelf kan ze de voorstellen van moe ook geen minuut uit haar gedachten zetten, maar ze durft haar vader niet te vragen wat hij gaat doen. Het boekje ligt in het kabinet en niemand, behalve zijzelf en pa, weten er iets vanaf. Ze mag er van haar vader ook met niemand over praten. Hij heeft gezegd erop terug te zullen komen, maar wanneer doet hij dat en wat gaat er dan gebeuren?

Er gaan enkele weken voorbij en op de zondagen moet zij zich de kleffe zoenen van die afschuwelijke Gerrit weer laten welgevallen. In de huiskamer zit vader hem af en toe peinzend aan te kijken, en ze weet dan dat de woorden van moeder hem door het hoofd spelen, maar hij zegt of onderneemt niets. Maar dat verandert, want op een dag zegt hij: 'Ik ga vanavond naar Anna om eens met haar te praten.'
  Er gaat een schok door Rietje heen, maar zij durft niet te vragen waarover het gesprek met tante Anna zal gaan. Zij kan alleen maar hopen dat haar vader tante Anna de laatste pagina's uit het dagboekje van moeder zal laten lezen. Als gebeurt wat moeder wenste, dan zal voor haar de hemel opengaan. Tante Anna kent ze al van kindsbeen af en ze beschouwt haar al jaren als haar tweede moeder. Ze hoopt maar dat zij haar schoonmoeder wordt, want haar geluk zal compleet zijn als vader zal toestaan dat zij verkering krijgt met Leen en dat ze Gerrit de bons kan geven. Dat laatste zal voor pa een enorm struikelblok zijn, want voor een boer is gezichtsverlies heel erg. Maar de laatste wil van een gestorvene negeren is minstens even erg.

197

HOOFDSTUK 10

'Siem!' roept Anna verbaasd als ze de boer van Zwickezicht op de stoep ziet staan. 'Er is toch niet iets ernstigs gebeurd?'

'Nee hoor!'

'O, gelukkig, jij komt hier alleen als er iets ergs aan de
hand is.' Anna doelt op de keer dat Siem haar kwam halen
om Clazien af te leggen.

'Er is wel iets aan de hand, maar ik hoop niet dat jij dat
erg vindt. Is Leen thuis?'

'Nee, toevallig is hij hier vanavond niet. Moet je hem
hebben?'

'Nee, het komt juist goed uit dat hij er niet is, want ik
wil onder vier ogen met jou praten.' Anna merkt dat Siem
gespannen is en dat bevreemdt haar nogal, want dat is ze
van hem niet gewend.

'Kom dan eerst maar eens binnen, want we kunnen niet
aan de deur blijven staan. Heb je tijd voor een bak koffie?'

'Jij kunt een lekker bakkie zetten, Anna, dus ik zeg geen
nee.'

Terwijl Anna met de koffie in de weer is, herhaalt Siem
nog eens in gedachten hoe hij het gesprek zal voeren. Hij
loopt er al dagen mee rond. Het is geen alledaagse kost
voor hem en er hangt wel erg veel van af en niet alleen voor
hemzelf.

Als Anna met twee dampende kommen koffie terug uit
de keuken komt, gaat ze tegenover Siem zitten en kijkt hem
aandachtig aan. 'Je bent zo gespannen, Siem, is het zo
moeilijk wat je met me te bespreken hebt?'

'Nogal, ja.'

'Vertel me dan maar eens wat ik voor je kan doen.'

'Het heeft met dit dagboekje van Clazien te maken, Anna.' Hij toont haar het boekje en zegt dat zijn overleden vrouw daar vlak voor haar dood heel bijzondere dingen in geschreven heeft.

'Maar waarom toon je het mij?' Nu raakt Anna gespannen, want het gesprek neemt voor haar een wel heel onverwachte wending.

'Omdat het alles met mijn en jouw gezin te maken heeft.'

'Maar komt dat boekje plotseling uit de lucht vallen of zo?'

'Nee, het is anders. Je weet misschien dat Rietje het eigen kamertje van haar moeder lang ongemoeid wilde laten, maar tijdens de schoonmaak gaf ze ook dat kamertje een goede beurt en ze vond dit boekje in een laatje van haar kastje.'

'Ik weet dat Rietje het kamertje voorlopig wilde laten zoals het was voordat Clazien stierf, maar ik begrijp nog niet precies waarom jij me het boekje toont, Siem.'

'Ik zal het je zo laten lezen, Anna. Rietje heeft het als eerste gelezen en daarna heeft ze het mij snikkend overhandigd. Ze was erg aangedaan en je mag gerust weten, Anna, dat ook ik er helemaal overstuur door raakte.'

'Je maakt me nieuwsgierig.'

'Er staan heel persoonlijke dingen in en niet alleen over Rietje en Leen, waar zij het met mij vaker over had, maar ook over Thijs.'

'Als het erg persoonlijk is, mag ik het dan wel lezen, Siem?'

'Ja, want jij wordt er ook in genoemd.'

'In welk verband?'

'Het is moeilijk het hier zomaar te zeggen, Anna.' Siem draait als een kat om de hete brij.

'Is het zó moeilijk? We kennen elkaar toch al vele jaren.'

'Dat klopt, Anna. Toen we jong waren hebben we een keer samen kermis gevierd en dat vond ik heel gezellig.'

'Ook ik heb daar goede herinneringen aan, Siem.' En dan lachend: 'Vooral aan onze gezamenlijke vrijpartij na afloop van de kermis.'

'Daar wist Clazien kennelijk ook van, want ze schrijft dat jij voor mij altijd een warm plekje in je hart gehouden hebt.'

'Dat klopt. Vrij kort voor haar dood hebben wij het daarover in een open gesprek gehad.'

'Dan moet je het zelf maar lezen, Anna, het belangrijkste staat op de laatste bladzijde.' Siem overhandigt haar het boekje en gaat even de kamer uit om haar de gelegenheid te geven de inhoud van de boodschap rustig in zich op te nemen.

En dan leest ze:

'...Hoewel ik niet weet hoe Anna erover denkt, zou ik het voor allen die mij dierbaar zijn, wensen, dat zij met Siem trouwt en dat zij dan samen hun kinderen Leen en Rietje met elkaar laten trouwen.'

Als Siem terug in de kamer komt, ziet hij dat Anna verstijfd op haar stoel zit en eerst geen woord kan uitbrengen.

Ze moet een aantal keren slikken en stamelt: 'Hoe is het mogelijk? Ik weet dat Clazien het geluk van haar dochtervooropstelde en koos voor een gelukkig huwelijk tussen haar en Leen. Jij koppelt haar wel aan Gerrit, maar jij weet ook wel dat onze kinderen zielsveel van elkaar houden. Maar dat Clazien wilde dat wij het samen eens worden, is nieuw voor mij.'

'Wat denk je van mij?'

'Belangrijker is hoe jij over het voorstel van Clazien denkt. Boeren trouwen met een rijke partij en hun kinderen later ook. Als jij me vroeger gevraagd had, dan had ik onmiddellijk ja gezegd.'

'En nu?'

'Je wilt toch niet zeggen dat je instemt met de voorstellen van Clazien?'

'Waarom niet? Destijds zat ik in hetzelfde schuitje als Rietje nu. Van mijn vader moest ik met de dochter van een rijke boer trouwen, mijn eigen voorkeur deed niet ter zake.'

'Het klopt dus wat Clazien schrijft: dat je vastgeroest zit in de oude boerentradities en ik kan je dat niet eens kwalijk nemen. Wel weet ik en jij ook dat die tradities hebben geleid tot veel ongelukkige huwelijken. Geld maakt niet gelukkig, jongen.'

'Ik weet het, Anna. Met Clazien was ik niet echt ongelukkig, want ze was erg lief en ik heb altijd mijn best gedaan haar te beschermen.'

'Ik weet het, Siem. Op school beschermde je haar al tegen de plagerij van andere kinderen, maar bezorgdheid is geen echte liefde. Zoals je begrijpt was Henk ook niet mijn eerste keus, maar het was een vrolijke en lieve man en we hebben een fijn huwelijk gehad. Jouw vrouw en mijn man zijn dood en wij hebben daar beiden veel verdriet van gehad en nog, maar wij moeten verder met ons leven. We zijn halverwege de veertig en beiden gezond als een vis.'

'Als ik jou vraag mijn vrouw te worden, wat zeg jij dan?' Siem zit op het puntje van zijn stoel, want de woorden van Anna hebben diepe indruk op hem gemaakt.

'Daar kan ik nu niet meteen op antwoorden, Siem. Ik wil er eerst met Gerrie en Leen over praten. Belangrijk voor mijn zoon is of jij instemt met het andere voorstel van Clazien. Weet dat de kinderen dan dolgelukkig zullen zijn.'

'Ik heb nooit iets tegen Leen gehad, Anna, integendeel, maar die vastgeroeste tradities, zoals Clazien die noemde, speelden mij steeds parten.'

'Nu niet meer?'

'Na de overwegingen van Clazien gelezen te hebben, ben ik tot de conclusie gekomen dat ze gelijk had. Ik maak mensen doodongelukkig.'

'Toch zul je, als je instemt met het voorstel van Clazien, nog iemand ongelukkig maken, Siem, en bovendien zul je veel gezichtsverlies bij de rijke boeren lijden als je Gerrit Voort de bons geeft.'

'Dat realiseer ik me maar al te goed, maar als wij het samen eens kunnen worden, dan heb ik daar veel scheve gezichten van de boeren in het dorp voor over, Anna.'

'Kom over een week terug, Siem, ik heb dan met Gerrie en Leen gesproken. Vooral Leen zal wellicht moeite hebben met een schoonvader die hem aanvankelijk te min vond voor zijn dochter, maar de wetenschap dat hij met zijn lieve meisje zal kunnen trouwen, zal hem erg vergevingsgezind maken. Ik ken hem!'

'Volgende week om deze tijd kom ik terug. Met Rietje hoef ik niet meer af te stemmen, want die houdt niet alleen van Leen, maar ook van jou. Ze zal niets liever willen dan dat de voorstellen van haar moeder worden geaccepteerd.'

'Wat hebt u met tante Anna besproken, pa?' vraagt Rietje met een hoogrode kleur als haar vader die avond thuiskomt. Ze heeft de hele avond in spanning gezeten.

'Wat we besproken hebben kan ik niet allemaal herhalen, maar het belangrijkste is dat ik haar de laatste bladzijde van het dagboekje van je moeder heb laten lezen. We hebben afgesproken dat ik volgende week om deze tijd weer naar haar toe ga om verder te praten.'

'Maar hoe reageerde tante Anna nadat ze de laatste pagina van het boekje gelezen had?'

'Ik begrijp dat je dat graag wilt weten, kindje, maar ook tante Anna heeft tijd nodig om met haar kinderen te overleggen. Ik wil daarop niet vooruitlopen.'

'Maar kan ik een beetje hoop hebben, pa?' Tranen blinken in haar ogen en ze kijkt hem zó smekend aan, dat hij niet anders kan dan knikken.

'Echt waar?' Ze springt op, vliegt haar vader om zijn hals en zoent hem op beide stoppelwangen.

'Ho ho, niet te vroeg juichen, meisje,' remt Siem haar enthousiasme wat af. 'Ik heb je gezegd dat we over een week verder praten. Tot zolang moet jij geduld hebben en er met niemand over praten.'

'En als Gerrit zondag komt?'

'Dan ontvangen we hem zoals we dat gewend zijn. We moeten de zaak niet overhaasten. Laten we maar gaan bidden en slapen.'

Rietje buigt haar hoofd. Ze zou nog wel veel meer willen weten, maar ze begrijpt dat ze nu niet verder moet vragen.

Ze zou wel naar tante Anna willen gaan om haar te vragen, of liever nog haar aan te moedigen, te doen wat moe in haar dagboek schreef, tenminste als pa wil doen wat moe voorstelde.

'We gaan bidden en slapen,' zei pa. Bidden doet ze ingetogen en ze smeekt God haar te helpen. Slapen kan ze niet. Ze mag van pa een beetje hoop hebben. Wat betekent dat? Over een week praten hij en tante Anna verder, want zij moet de tijd krijgen met haar kinderen te overleggen. Gerrie zal geen bezwaar maken en Leen kan alleen maar dolblij zijn, tenminste als alle voorstellen van moe geaccepteerd worden. Er blijven nog te veel onzekerheden om echt blij te zijn. Zondag moeten ze ook Gerrit weer ontvangen alsof er niets aan de hand is. Hopelijk is het de laatste keer.

Ook Siem kan de slaap niet vatten. Wat Clazien voorstelt betekent een ommekeer in zijn leven. Hij moet iets doen wat tegen elke gewoonte indruist. Geen enkele boer in het dorp zal zijn kinderen beneden hun stand laten trouwen. Hij is een van hen en dacht er ook zo over, maar Clazien heeft bij hem een tere snaar geraakt. Hij kijkt er nu wat anders tegenaan. Zelf zou hij het als verraad aan Clazien hebben beschouwd Anna openlijk te begeren. Hij had het er moeilijk mee, maar hij heeft nooit overwogen haar te vragen zijn vrouw te worden. In haar dagboek stelt Clazien het zelf voor. Natuurlijk had zij de bedoeling Rietje gelukkig te maken en Thijs een verzorgde toekomst te bieden, maar dat niet alleen, ze gunde ook hem een lieve vrouw en dat ís Anna. Ze zijn beiden nog jong genoeg om elkaar gelukkig te maken. Geluk dat hij zijn eigen kind wilde ontzeggen om zijn kapitaal en macht te vergroten. Als Anna zijn aanzoek accepteert, zal de laatste wil van Clazien in vervulling gaan. Met die gedachte valt hij eindelijk in slaap.

Ook Anna heeft na het gesprek met Siem een onrustige nacht gehad. Ze moet met haar kinderen overleggen en neemt zich voor dat niet langer uit te stellen dan nodig is. Eerst krijgt ze de gelegenheid om met Gerrie te praten.

'De boer van Zwickezicht was hier gisteravond, Gerrie.'

'Dat komt ook niet alle dagen voor. Wat kwam hij doen? Je moet zeker weer invallen op de hoeve.'

'Hij kwam voor iets heel anders, Gerrie.' Daarop vertelt zij haar dochter wat ze gelezen heeft in het dagboek van de gestorven boerin.

'De boerin van Zwickezicht wilde dus dat jij met de boer trouwt en daarmee de weg vrijmaakt voor Leen en Rietje,' concludeert Gerrie en haar moeder knikt.

'Zo is het precies, meisje.'

'Hoe is het mogelijk?' Gerrie valt bijna van haar stoel van verbazing. 'Wordt de boer die Leen te min vond voor zijn dochter, dan onze stiefvader?'

'Niet te hard van stapel lopen, Gerrie. Siem Rouveen vindt niemand te min, maar hij zat vast aan de oude boerentradities om kapitaal op kapitaal te stapelen. Hij heeft niets tegen Leen persoonlijk, integendeel, maar wij zijn geen kapitalisten.'

'Maar nadat de overleden boerin hem de pin op de neus gezet heeft, hecht hij dus niet meer aan geld. Wel een hele ommezwaai. Wil jij met zo iemand trouwen, moe?'

'Siem Rouveen is geen slecht mens, meisje. Als jong meisje vond ik hem erg leuk.'

'Maar je bezat geen cent en je had dus geen enkele kans bij hem.'

'Dat klopt, maar ik was niet zielig, hoor! Met je vader heb ik een heerlijk huwelijk gehad, maar je vader is dood en ik ben pas halverwege de veertig en Siem ook. En als wij doen wat de gestorven boerin voorstelt, zullen je broer en Rietje Rouveen dolgelukkig zijn.'

'Praat maar met Leen, moe. Als hij positief is, ga ik niet dwarsliggen. Ik gun jou en mijn broer alle goeds. Met Joost Meijer hoop ik binnen niet al te lange tijd een eigen gezin- netje te stichten.'

Het is lente, dus op de tuin is er volop werk. Het is de pe- riode waarin geïnvesteerd moet worden in zaai- en poot- goed en het kost tijd om dat allemaal in de goedbemeste grond te krijgen. Leen is blij als hij die morgen even kan uitblazen bij een kop koffie. Maar het is geen morgen zoals alle anderen, want de avond tevoren is Siem Rouveen op bezoek geweest. Leen weet dat niet, omdat hij niet thuis was en na thuiskomst was Siem al vertrokken.

'Blijf jij nog even zitten, Leen, want ik wil met je praten,' zegt Anna nadat ze voor de tweede keer koffie ingeschon- ken heeft.

'Dan ga ik maar weer aan de slag,' zegt Teun de Laat en Anna knikt.

'Dat is goed, Teun, want het is nogal persoonlijk wat ik met Leen wil bespreken.'

'Persoonlijk?' Leen is zo'n officiële toon van zijn moeder niet gewend.

'Ja, het is heel erg persoonlijk, Leen, en je moet maar met niemand praten over hetgeen ik ga vertellen.'

'Je maakt me nieuwsgierig, moe.'

'Gisteravond, toen jij niet thuis was, is Siem Rouveen hier geweest en hij had een heel bijzondere boodschap.'

'Is-ie niet tevreden met de nieuwe knecht en wil hij mij soms inhuren?'

'Hij gaat verder dan dat, maar laat mij je eerst even de aanleiding vertellen.' Dan vertelt Anna haar zoon over de vondst van het dagboek van de boerin door Rietje. 'De moeder van Rietje stelt in haar boekje voor dat de boer en ik samen trouwen en dat we daarmee de weg vrijmaken voor jou en Rietje.'

'Echt waar?' Leen valt bijna van zijn stoel van verbazing. 'Betekent het dat er een kans is dat Rietje en ik samen zullen kunnen trouwen?'

'Rouveen heeft mij ten huwelijk gevraagd, maar ik heb een week bedenktijd gevraagd, want ik wilde eerst met Gerrie en met jou praten.'

'Wil jij zelf wel met hem trouwen, moe?'

'Ja, dat wil ik, jongen. Siem Rouveen zit vastgeroest in de oude boerentradities en daarom wilde hij Rietje laten trouwen met de zoon van een van de rijkste boeren van het dorp.'

'Nu niet meer?' Leen zit op het puntje van zijn stoel.

'De laatste wil die de boerin in haar dagboek heeft opgetekend, heeft Siem Rouveen aan het denken gezet en dat heeft zijn mening radicaal veranderd. Als ik ja zeg, mag jij trouwen met Rietje.'

'Zeg het nog eens, moe! Het kan niet waar zijn.' Leen is in alle staten en tranen van geluk rollen over zijn wangen. Hij springt op zijn moeder toe en danst met haar door de kamer.

'Rustig een beetje, jongen. Er moet nog veel gebeuren, hoor!'

'Wat dan allemaal? Als de boer jou gevraagd heeft en jij wilt met hem trouwen, dan is het toch goed!'

'Wil jij de boer als stiefvader en als schoonvader?'

'Al zou hij zich mijn opa willen noemen, als Rietje en ik maar kunnen trouwen.' Leen is door het dolle heen en staat te dansen in de kamer. 'Mag ik al naar Rietje gaan, moe?'

'Jij mag helemaal niks, jongen. Heb nog een beetje geduld en praat er met niemand over. Met de boer heb ik afgesproken dat ik, nadat ik met mijn kinderen gesproken heb, hem uitsluitsel zal geven. Het is nu donderdag. Volgende week woensdag komt hij terug en dan zal ik hem mijn mening geven.'

'Doe het, moe! Je zegt zelf dat Siem Rouveen een aardige kerel is en dat was hij voor mij ook altijd.'

'Nog een paar dagen geduld en dan weten we het, jongen.'

Geduld is het laatste wat Leen heeft. Als hij Rietje die zondag in de kerk ziet en haar blik opvangt, straalt daar hoop uit. Nog enkele dagen en dan praat moeder met de vader van Rietje. Hij heeft zijn moeder duidelijk gemaakt dat hij geen enkel bezwaar tegen de boer heeft, alleen, en dat heeft hij haar niet gezegd, neemt hij het hem wel kwalijk dat hij hem elk contact met Rietje onmogelijk maakte. Hij schijnt het kwalijke daarvan nu zelf ook in te zien, dus zal hij zijn moeder geen strobreed in de weg leggen 'ja' tegen de boer te zeggen als hij weer komt praten.

Die zondagavond heeft Rietje het moeilijk als Gerrit, zoals gewoonlijk, de avond op Zwickezicht doorbrengt. Ze merkt ook aan haar vader dat die wat gemaakt vrolijk met haar vrijer omgaat, maar Gerrit zelf heeft niets in de gaten. Rietje hoopt dat het zijn laatste bezoek zal zijn. Vooral zijn kleffe zoenen haat zij nu meer dan ooit. Toch laat ze hem begaan, maar als hij met zijn harde handen haar lichaam weer op intieme plaatsen beroert, duwt ze die handen weg.

'Niet doen, Gerrit,' zegt ze, maar Gerrit schudt zijn hoofd.

'Je zult er toch aan moeten wennen, meisje,' bromt hij.

Ze zou hem willen zeggen dat dat niet waarschijnlijk is, maar ze houdt haar mond. Zelf hoeft ze hem niet de bons te geven, want dat zal vader hopelijk deze week nog doen. Als ze, na nog een kleffe zoen, de deur achter hem sluit, drukt ze haar hoofd tegen de koude muur en wordt wat rustiger. 'De laatste loodjes wegen het zwaarst' luidt het gezegde en daar is ze het grondig mee eens.

'Heeft Gerrit nog iets gezegd?' vraagt haar vader als ze terugkomt in de kamer.

'Nee, niks bijzonders, hoezo?'

'Ik dacht dat-ie misschien gemerkt heeft dat ik wat verstrooid en kortaf reageerde.'

'Volgens mij niet, hoor!' De opmerking van haar vader geeft haar weer wat meer hoop en die nacht slaapt ze voor het eerst in tijden weer redelijk.

Als de week om is gaat Siem op pad naar Anna. Na zijn laatste gesprek met Rietje en haar ontroerende blijdschap toen hij knikte op haar vraag of zij hoop kon hebben, is hij ervan overtuigd dat hij een juiste beslissing genomen heeft Anna te vragen zijn vrouw te worden.

'Dag Siem! Ik heb je verwacht, want de week is om.'

'Ik zie dat je me verwacht hebt.'

'Waar zie je dat dan aan?' Anna kijkt haar bezoeker verbaasd aan.

'Omdat je je zo mooi gemaakt hebt.' Siem is aangenaam verrast, want in haar mooie strakke japon komt haar slanke figuur goed uit. Een lieve vrouw en nog knap ook, bedenkt hij. 'Als je je voor mij zo mooi gemaakt hebt, zal dat niet zijn om mij af te wijzen.'

'Je maakt me verlegen, Siem.' Anna krijgt zowaar een kleur.

'Als je kijkt zoals nu, dan komt bij mij jouw beeld van vroeger weer boven. Ik ben erg benieuwd hoe jouw kinderen gereageerd hebben.'

'Gerrie was een beetje kritisch, maar Leen was door 't dolle heen. Er zijn voor mij geen beletselen meer om op jouw verzoek in te gaan, Siem.'

'Daar ben ik erg blij om, Anna. Laten we dit belangrijke moment met een kus bezegelen.' Hij slaat zijn armen om haar heen en kust haar op beide wangen.

'Ja, Siem, het is echt een mijlpaal in ons leven.' Daarop geeft ze hem een zoentje op zijn mond.

'Of de tijd heeft stilgestaan,' zegt hij ontroerd als hij ziet dat bij Anna de tranen over haar wangen lopen en hij trekt haar dan dicht tegen zich aan. Zo staan ze even, maar dan maakt Anna zich los uit zijn omarming, ze poetst haar tranen weg en gaat koffie inschenken. Ze presenteert er een taartje bij, want er valt wel iets te vieren.

'Ik heb vanmorgen vier taartjes bij de bakker gehaald, maar die dorpelingen zijn zo akelig nieuwsgierig. Ze vroegen of er bij mij thuis iemand jarig is. Ik heb maar iets verzonnen en ik weet echt niet meer wat, maar het klonk kennelijk niet erg geloofwaardig, waardoor de vrouwen wantrouwig werden.'

'Hoe merkte je dat?'

'Ze vroegen of ik met Teun de Laat ging trouwen. Dat heb ik uiteraard ontkend. Hij zou wel willen, maar ik heb het nooit overwogen, terwijl mijn gedraai me verdacht maakt. De roddelmachine zal inmiddels wel op gang gekomen zijn.'

'Laat ze maar kletsen, Anna. Het zal allemaal gauw genoeg bekend zijn, want morgenavond ga ik naar Chris en Hes Voort om hun te vertellen dat de trouwerij van Gerrit met Rietje niet doorgaat.'

'Zie je ertegen op?'

'Nogal. Het is onder rijke boeren een zeer ongebruikelijke stap en ik zal de wind dan ook danig van voren krijgen. Ze zullen me voor gek verklaren.'

'Trek het je niet aan, jongen.'

'Ik krijg er veel voor terug, Anna. Weet je waar ik zeker van ben?'

'Nou?'

'Dat veel leeftijdgenoten van mij me veroordelen, maar tegelijkertijd zo jaloers zijn als een aap. Ik herinner me van vroeger dat jij altijd hele hordes jongens achter je aan had en toen ik jou een keer strikte om kermis te vieren, waren ze ook al jaloers.'

'Het zal wel schikken, hoor!' Het is de gebruikelijke gemeenplaats bij een compliment.

'Nee, dat zal het niet! Jij bent lief en mooi en nog vergevingsgezind ook, want ik heb enkele mensen veel verdriet gedaan en jij weet wel wie. Leen mag dan dolblij zijn met Rietje, ik ben het met jou.'

'Daar krijg je een zoentje voor, jongen.' Anna drukt haar mond op de zijne en dan laten ze beiden alle gêne varen en kussen elkaar lang en innig.

Natuurlijk zit Rietje thuis weer in spanning. Als ze haar vader thuis hoort komen, vliegt ze naar de deur. 'Gaat het door, pa?' vraagt ze met een hoogrode kleur.

'Ja, het gaat door, meisje, overmorgen mag je naar Leen.'

'O, wat maak je me gelukkig, pa!' Ze vliegt hem om zijn hals en zoent hem dat het klapt.

'Ik ben nog nooit zo gezoend als vanavond,' lacht Siem, maar als ze vraagt waarom ze tot overmorgen moet wachten om naar Leen te gaan, maant hij haar tot kalmte. 'Het zou niet netjes zijn als de familie Voort van anderen zou moeten horen dat Gerrit de bons zal krijgen.' En dan verschrikt: 'Ik ben vergeten tegen Anna te zeggen dat Gerrie en Leen er tot overmorgen ook met niemand over mogen praten. Ik ga nog even naar hen toe.'

'Siem! Ben je iets vergeten?' vraagt Anna verbaasd als ze de man die de laatste week geen minuut uit haar gedachten geweest is, weer voor de deur ziet staan.

'Ja, ik ben vergeten te zeggen dat je kinderen er tot overmorgen met niemand over mogen praten, want zoals ik al zei, ik zal morgen Gerrit de bons geven. Het zou niet netjes zijn als hij dat van anderen moet horen.'

'De kinderen zijn nu thuis, Siem, kom even binnen, dan kun je ook even met hen praten.'

Maar voordat hij daartoe de gelegenheid krijgt, wordt hij meteen bestookt met een spervuur aan vragen. Wanneer ze gaan trouwen, waar ze gaan wonen en hoe ze hem dan moeten noemen?

'Ho ho, niet te veel vragen, want daar hebben je moeder en ik het nog helemaal niet over gehad. Wij wilden eerst zeker van elkaar zijn en ook zeker stellen dat jullie het ermee eens zijn. Van je moeder heb ik begrepen dat er wat kritische geluiden waren en dat kan ik goed begrijpen. Mijn gestorven vrouw was ook kritisch. Ze vond dat ik te veel vastgeroest zat in de oude boerentradities. Jullie moeten dat proberen te begrijpen, want geen boer op het dorp zou erover piekeren te doen wat ik ga doen.'

'Ja kinderen, daar moeten jullie respect en waardering voor hebben.' Anna neemt het op voor Siem.

'Ik vind dat dat wel wat eerder had kunnen gebeuren,' meent Gerrie. 'Leen en Rietje hebben een tijd van ellende achter de rug.'

'Dat is waar en het spijt me,' zegt Siem.

Leen heeft geen commentaar. Hij zit alleen maar te glunderen en vraagt wanneer hij naar Rietje mag.

'Ik heb je gezegd dat je nog een dagje geduld moet hebben en we het nog even onder ons moeten houden. Dat was mijn zorg en daarom ben ik even teruggekomen, want jullie zullen het met mij eens zijn dat de familie Voort het van mij en niet van anderen moet horen.'

'Over al jullie andere vragen zullen Rouveen en ik het nog uitgebreid hebben,' zegt Anna, voordat Siem voor de tweede keer die avond afscheid neemt.

'Dat zullen we,' beaamt Siem. 'Als we eenmaal getrouwd zijn, gaan we natuurlijk wel in hetzelfde huis wonen.'

'Moe is best een goede boerin, hoor!' roept Leen nog en dan moeten ze lachen om zijn spontane uitroep. Leen kan het overigens wel weten, want jarenlang is hij er getuige van geweest dat zijn moeder op Zwickezicht de zieke boerin bijna alles uit handen nam.

'Hebt u Leen en Gerrie nog gezien, pa?' vraagt Rietje als haar vader terug is.

'Ja, tante Anna had hun al gezegd dat ze er nog niet over mogen praten, maar ze bedolven me wel onder de vragen, zoals wanneer we gaan trouwen, hoe ze me na ons trouwen zullen moeten noemen en waar we gaan wonen.'

'Als tante Anna hier komt wonen zal ik dat alleen maar fijn vinden, pa,' zegt ze en dan moet Siem glimlachen.

'Leen denkt er kennelijk ook zo over, want hij vindt zijn moeder een beste boerin. Maar nu gaan we pap eten, bidden en slapen, want morgenavond ben ik bij Chris en Hes Voort om hun een heel nare boodschap te brengen.'

'Siem!' roept Chris Voort verrast als de aanstaande schoonvader van zijn zoon het achterhuis binnenkomt. 'Het wordt weer eens tijd wat bij te praten, want ik heb aan Gerrit gemerkt dat hij ongeduldig begint te worden. Rietje is volgens hem niet erg toeschietelijk als hij over trouwen praat.'

'Het is niet mijn bedoeling over een huwelijk tussen Gerrit en Rietje te komen praten, Chris, integendeel. We zullen er een punt achter moeten zetten.'

'Hoe bedoel je dat?' Chris Voort zet grote ogen op.

'Laten we er eens rustig over praten, Chris,' stelt Siem voor en dan gaan ze naar de mooie kamer van de hoeve. Daar vertelt Siem over het gevonden dagboek van zijn vrouw en haar daarin opgeschreven laatste wil. 'Bij Clazien heeft altijd het geluk van haar kinderen vooropgestaan, Chris.'

'Maar wij hadden een afspraak, Siem. Ik accepteer niet dat door een gril van je overleden vrouw het huwelijk tussen twee vermogende partijen tenietgedaan wordt.'

'Ik praat niet over een gril, maar over de laatste wil van Clazien, Chris. In haar dagboek beschrijft ze alles heel duidelijk en concreet en dat heeft erg veel indruk op mij gemaakt.'

'Gaat het in haar dagboek alleen over je dochter en Gerrit of is er meer?'

'Het gaat ook over Thijs.'

'In welk opzicht?'

'Clazien stoorde zich erg aan de liefdeloze houding van Gerrit tegenover onze achterlijke zoon. Zij maakte zich grote zorgen om de toekomst als Gerrit met Rietje boer en boerin zouden zijn op de hoeve.'

'Dat zijn allemaal verwachtingen, Siem, maar het is helemaal niet gezegd dat Gerrit in de toekomst naar voor je zoon zal zijn. Je dochter was gek op de zoon van Henk Bovenkamp. Speelt dat nog een rol?'

'Ik zei dat bij Clazien het geluk van haar kinderen vooropstond, dus ook het geluk van Rietje. Ze verwachtte dat Rietje doodongelukkig zou worden met Gerrit.'

'Dat kon Clazien wel vinden, maar jij hebt als gezeten boer toch je eigen verantwoordelijkheid, Siem. Het is me een raadsel hoe jij je hebt laten meeslepen.'

Op dat moment komt Gerrit binnen en zijn moeder neemt hem even apart om hem in te lichten over de boodschap van Siem Rouveen.

'Rouveen kan ons niet uit elkaar halen, want hij heeft een afspraak met pa!' Gerrit is in alle staten en wil de boer van Zwickezicht ter verantwoording roepen, maar moeder Hes kalmeert hem.

'Laat je vader dat nou maar doen, jongen. Als jij je er nu mee gaat bemoeien, draait het uit op ruzie en daar is niemand bij gebaat.'

'Maar ik pik het niet, hoor moe!' Het zweet breekt Gerrit uit en hij kijkt zijn moeder met een radeloze blik aan.

Hoewel Hes medelijden heeft met haar zoon, die er als een geslagen hond bij zit, heeft ze meer begrip voor Siem dan haar man, die met hem in de mooie kamer is achtergebleven.

Ze hoort hem bij het afscheid zeggen: 'Ik heb je altijd beschouwd als een sterke vent, Siem, maar nu ontdek ik dat je verworden bent tot een sentimentele slappeling. Als je verder niks te zeggen hebt, kun je beter gaan.'

Een grotere vernedering is voor een trotse boer ondenkbaar. Als Chris hem zonder verdere groet de deur uit laat gaan, beseft Siem dat dit nog maar het begin is van alle onbegrip en hoon van zijn soortgenoten in het dorp, zeker als ze horen dat hij zelf met Anna Bovenkamp gaat trouwen. Omdat hij vindt dat Chris Voort daar niks mee te maken heeft, heeft hij het er in zijn gesprek met hem niet over gehad. Hij is erg aangeslagen, maar als hij dan denkt aan de tranen van Anna, toen hij haar in zijn armen hield en de blijdschap van de kinderen, recht hij zijn rug en hij neemt zich voor alle sneren en nare opmerkingen voor lief te nemen. Met zijn besluit maakt hij vijf mensen gelukkig: Rietje, Leen, Thijs, Anna en zichzelf. Al dat geluk weegt zeker op tegen de handvol geld die hij ermee verspeelt.

'We gaan morgenavond samen naar tante Anna, Rietje, en dan mag jij Leen alles vertellen. Gerrit heb ik vanavond de bons gegeven.'

'Bedankt, pa, dat je dat allemaal voor ons hebt gedaan.'
Uitzinnig van vreugde danst Rietje door de kamer en ze steekt Thijs ook aan. Ook hij danst door de kamer, maar hij weet niet waarom.

Jaan heeft zich steeds op de achtergrond gehouden, maar Rietje heeft haar de laatste week bijna dagelijks bijgepraat en ook zij is blij. Ze hoopt maar dat Anna boerin zal worden op Zwickezicht, want met haar heeft ze het altijd goed kunnen vinden.

Die avond kan Rietje bijna niet wachten tot ze gegeten hebben en de vaat is afgewassen. Jaan voelt goed aan waarom Rietje zo ongeduldig is en biedt aan alleen de vaat te wassen, maar dat wil Rietje niet. Toch is ze blij als ze eindelijk samen met haar vader naar tante Anna kan gaan.

Daar is nog iemand ongeduldig en nog een beetje erger dan Rietje. Al een poos zit Leen voor het raam en hij houdt de laan goed in de gaten. Als hij de twee ziet naderen, is hij met twee stappen bij de deur en hij vangt zijn lieve meisje in zijn armen op. Beiden vergeten zij even dat ze niet alleen zijn. Het kan hen ook eigenlijk niets schelen. Lang genoeg hebben ze de liefde voor elkaar geheim moeten houden. Het is uiteindelijk Rietje die hem mee naar binnen moet trekken. Daar kijken ze in de lachende gezichten van Siem en Anna. Het is hen aan te zien dat ze opgelucht zijn dat de kogel door de kerk is.

'Hoe ben je bij Voort gevaren, Siem?' vraagt Anna, want ze weet dat zijn bezoek aan die rijke boer een hele opgave voor hem was.

'Daar praten we later samen wel over, Anna. Vanavond moeten we alleen maar aan de toekomst denken.'

Leen en Rietje zijn het daar roerend mee eens, want de naam Gerrit wekt bij de jonggeliefden alleen maar weerzin op. Toch roept Anna de twee op in het openbaar niet te negatief over Gerrit te praten. In de eerste plaats heeft hij zichzelf niet gemaakt en is zijn omgang met Rietje ook geen idee van hemzelf. 'Vergeet niet dat het voor die jongen een teleurstelling is dat het meisje dat binnen korte tijd zijn vrouw zou worden, plotseling voor hem verloren is.'

De twee knikken, maar ze kunnen met de beste wil van de wereld geen medelijden voelen met de rijke boerenzoon, voor wie vader Chris zeker weer een andere goeie partij zal zoeken. Rietje heeft eerder medelijden met het meisje dat dan het slachtoffer is.

Dat de roddelmachine snel genoeg op gang zou komen, veronderstelde Anna al enkele dagen geleden. Ze krijgt gelijk. Het gonst in het dorp van de geruchten en hele en halve waarheden gaan van mond tot mond.

De plaats waar vrouwen eindeloos kletsen is bij de bakker en de kruidenier. Maar mannen kunnen er ook wat van. Hun pleisterplaats is de scheerwinkel van Bram van Doorn. Om 's zondags fatsoenlijk voor de dag te komen laten ze hun stoppelbaard van een week scheren en af en toe hun haar knippen. Het is niet echt Brams vak en de notabelen gaan dan ook naar de kapsalons in de stad, maar de gewone dorpeling kijkt niet zo nauw.

Na alle verwikkelingen rondom Zwickezicht en Noordhoek valt er heel wat bij te praten en op die zaterdagavond is het dus extra druk bij Bram.

Wijsneuzen hebben de verkering tussen Siem en Anna zien aankomen. 'Na de dood van Henk en Clazien kon het niet uitblijven,' weet de smid. 'Je herinnert je toch wel hoe gek Siem vroeger op Anna was?' vraagt hij, de kring rondkijkend.

'Wie was er niet gek op Anna?' vraagt de knors zich hardop af. 'Iedereen toch! Maar Thijs Rouveen had betere partijen op zijn lijstje staan en dus trouwde Siem uiteindelijk met Clazientje Adriaanse.'

'Wat ouwe Thijs met Siem deed, deed Siem met zijn dochter Rietje en hij koppelde haar aan Gerrit Voort, niet moeders mooiste, maar wel bulkend van het geld.'

'Heb jij in de portemonnee van Chris gekeken, Bram?' vraagt de knors aan de kapper.

'Nee dat niet, maar dat-ie genoeg heeft is wel zeker en dus verbaast het me dat Siem die Gerrit de bons gegeven heeft en zelf in de armen van mooie Anna kruipt.'

'Geef hem eens ongelijk!' meent de koster en daar zijn ze het allemaal over eens.

In de kerk zijn die zondag de ogen van de dorpelingen op Siem en Rietje Rouveen gericht. Ook bij de binnenkomst van Anna worden de hoofden haar kant uit gedraaid.

De 'beminde gelovigen' hebben deze keer weinig aandacht voor de verrichtingen van meneer pastoor.

Afgesproken is dat Siem en zijn dochter na de mis een bezoek zullen brengen aan de pastorie om meneer pastoor persoonlijk in te lichten.

Veel kerkgangers blijven doorgaans even op het pleintje voor de kerk staan voor een praatje. Deze keer heeft bijna iedereen wel wat te bespreken en dan zien ze vader en dochter Rouveen in de pastorie verdwijnen.

'Het bericht is niet nieuw voor me, Siem, want Chris Voort is al bij me geweest. Ik stel het niettemin op prijs dat je me persoonlijk komt informeren.'

'Ik dacht dat ik de eerste was, meneer pastoor.' Het klinkt als een lichte verontschuldiging van Siem.

De pastoor gaat er niet verder op in. Hij is al vele jaren pastoor in het kleine dorp en kent de zeden en gewoonten van de boeren als zijn broekzak. De daden van Siem Rouveen zullen zeker aan veel kritiek onderhevig zijn. Hij zegt het ook. 'Je zult een hoop kritiek te verwerken krijgen, Siem, want wat jij gedaan hebt druist in tegen alle gewoonten van de welgestelde boeren.'

'Ik heb het niet zomaar gedaan, meneer pastoor. Als u dit gelezen hebt, zult u er minstens begrip, misschien wel waardering voor hebben.' Daarop geeft hij de pastoor het dagboek van Clazien en wijst hem op de relevante passages.

De pastoor zet zijn leesbrilletje op. Hij bestudeert de aangewezen passages aandachtig en knikt. 'Ik kan in mijn positie moeilijk partij kiezen, Siem, maar ik ben blij voor jou en Anna. Ook heb ik er respect voor dat jij tegen alle gewoonten van de streek in, de voorstellen van je overleden vrouw hebt geaccepteerd.'

'Ik vind dat ik de laatste wil van mijn vrouw moet respecteren, meneer pastoor.'

'Dat is je goed recht, m'n beste, maar ik zei al dat ik moeilijk partij kan kiezen. Ik ben, wat men noemt, de herder van alle parochianen en dus ook van Gerrit Voort en diens ouders. Hij is volgens Chris Voort hevig teleurgesteld. Ik vraag jou en je dochter begrip te hebben voor hun toestand.'

'Dat hebben we zeker, meneer pastoor. Ik begrijp heel goed wat er in die mensen omgaat.'

Aanvankelijk is het nieuws over de families Rouveen, Voort en Bovenkamp als een bom ingeslagen in het dorp, maar de roddels ebben langzaamaan weg. Na enkele maanden wordt er nauwelijks meer over gesproken. Dat is wel anders in de gezinnen van Siem en Anna. De laatste komt nu geregeld op Zwickezicht en ze heeft lange gesprekken met Siem. Rietje begrijpt dat ze niet overal met haar neus bovenop moet zitten en zoekt verpozing bij Leen. Op zondag is het in de tuinderswoning gezellig, ook als moeder Anna bij Siem is. Gerrie is er met Joost Meijer en Rietje samen met Leen. Het viertal is dan compleet om spelletjes te doen, zoals ganzenborden en kaarten. Ze hebben plezier onder elkaar en er wordt niet meer over het oude zeer gesproken. Joost Meijer heeft zelfs van zijn vader het consigne gekregen niet te roddelen over Gerrit en diens ouders, want als timmerman is hij grotendeels van de rijke boeren afhankelijk. Chris Voort is voor hem even belangrijk als Siem Rouveen.

Als de kinderen zich in de tuinderswoning vermaken, hebben Siem en Anna de gelegenheid om over de toekomst te praten. Voor jonge geliefden geldt normaliter een verkering van minstens twee jaren, maar voor oudere paren die voor de tweede keer trouwen, bestaat er geen norm. Ze zijn dan ook van plan in het najaar te trouwen. Krap een halfjaar hebben ze dus de tijd om alles te regelen.

Maar de tijd gaat snel. Vooral in de zomer is er zowel op en rondom Zwickezicht als op de tuinderij veel werk. Anna verdeelt haar krachten tussen haar eigen huishouden en dat op Zwickezicht. Dat laatste is wel nodig ook, want Alie Wenting is in haar zevende maand en moet het van de dokter rustig aan doen. Uit handen van de oude Jaan komt bijna geen werk meer. Ze zit het liefst rustig in haar luie stoel en helpt wel bij lichte werkjes, zoals groenten schoonmaken en aardappels schillen.

Rietje is erg ingenomen met de hulp van tante Anna, en ze is ronduit blij als ze hoort dat zij en vader in oktober zullen trouwen en dat tante Anna dan boerin op Zwickezicht wordt. Thijs is niet alleen blij met de komst van tante Anna, maar ook met de regelmatige bezoeken van Leen. Over de vraag waarom Leen de plaats van Gerrit heeft ingenomen maakt hij zich niet druk. Leen speelt weer met hem en dat is hem voldoende.

Als de kerkklokken op een zonnige dag in oktober hun vrolijke klanken over het dorp uitstrooien, geven Siem en Anna elkaar het jawoord. Ondanks alle kritiek is de kerk meer dan vol. Er moeten extra stoelen uit de pastorie worden aangesleept om alle belangstellenden een zitplaats te geven.

Het is misschien wel dankzij de aanvankelijke kritiek dat de belangstelling zo massaal is. Iedereen wil met eigen ogen zien hoe het bruidspaar eruitziet.

De bruid is uiteraard niet in het wit, maar ze heeft wel een prachtige japon gekocht en oogst de bewonderende blikken van de dorpelingen.

Er wordt na de trouwerij een bescheiden feest op Zwickezicht gegeven. De laatste gasten vertrekken rond tien uur en dan mag Siem zijn bruid eindelijk in zijn armen sluiten.

'Dit hebben wij aan Clazien te danken, Siem,' zegt Anna en die opmerking geeft Siem een extra goed gevoel. Het is geen verraad aan Clazien maar de vervulling van een deel van haar laatste wens.

Met Gerrie is Anna overeengekomen dat zij het huishouden in de tuinderswoning voor haar rekening zal nemen tot ook zij gaat trouwen met Joost.

Er volgt een winter met veel vorst. Zowel op de hoeve als op de tuinderij ligt het werk praktisch stil en dus hebben Leen en Rietje volop de gelegenheid om met elkaar te zwieren. Verrast zijn ze als vader Siem en moeder Anna ook de blokschaatsen onderbinden en hun rondjes draaien.

'Ik voel me twintig jaar jonger met jou op het ijs, schat,' zegt Siem tegen Anna en zij knikt.

'We beginnen aan onze tweede jeugd, Siem,' lacht ze en dan zoeken zij Rietje en Leen op om gezamenlijk wat te drinken in de koek-en-zopiekraam van Gijs Oostdam. Wat later schuiven ook Gerrie en Joost aan en dan dreigt het een soort familiefeestje te worden, tot Siem ontdekt dat het tijd wordt om te gaan melken. Hij hoeft zich overigens niet te haasten, want er staan veel koeien droog en samen met Cor Wenting klaart hij die klus binnen het uur.

Als de sneeuwklokjes hun witte bloemetjes dapper boven het gras uit steken, is voor Gerrie en Joost de tijd aangebroken dat zij elkaar het jawoord gaan geven, maar er ontstaat dan wel een probleem. Zij verlaat de tuinderswoning, waardoor Leen in z'n eentje overblijft. Op de hoeve kan hij niet gaan wonen, want slapen in het huis van je aanstaande druist in tegen de regels van goed fatsoen.

De oplossing van het probleem is eigenlijk even simpel als praktisch. Leen eet op Zwickezicht en slaapt in de tuinderswoning. Rietje houdt die tuinderswoning op orde en dat vindt ze niet erg, want ze heeft dan dagelijks de gelegenheid een stevig potje te vrijen met haar geliefde.

'We hebben nog veel in te halen, lieveling,' zegt Leen dan en zij is het maar al te graag met hem eens. Toch moeten ze ervoor waken te ver te gaan in hun liefkozingen en dus besluiten ook zij te gaan trouwen. Het wordt de derde bruiloft in korte tijd.

Op haar trouwdag ziet Rietje er heel mooi uit. Ze straalt ook van geluk. De kapwagen waarmee Cor Wenting de bruid naar de bruidegom rijdt, is mooi versierd. Leen heeft een fraai trouwpak aan en samen rijden ze in de versierde koets naar de kerk. De belangstelling is niet zo groot als bij het huwelijk van Siem en Anna, maar er zijn toch veel dorpelingen die er getuige van willen zijn. Uit de monden van Rietje en Leen klinkt een overtuigend 'ja' als meneer pastoor de bekende vragen stelt.

Wederom gaat de vlag uit op Zwickezicht, want daar wordt het feest met veel familie, vrienden en bekenden gevierd.

Het is al tamelijk laat als Cor de kapwagen weer voorrijdt en het bruidspaar naar de opgeknapte tuinderswoning rijdt. Nadat Leen zijn bruidje over de stoep gedragen heeft, danken zij God voor de mooiste dag van hun leven, die bekroond wordt door een nacht van geluk in de beslotenheid van de bedstee.

Om te weten hoe het allemaal verdergaat, moeten wij een sprong van tien jaar in de tijd maken.

Op de grote, witte bank achter de woning van Zwickezicht zit Rietje even te genieten van het milde voorjaarszonnetje. Ze is een beetje moe, want sinds kort is ze in verwachting van haar vierde kind. Clazientje, haar oudste, zit op school en Henkie van vijf is met zijn vader mee de polder in getrokken. Antje van drie is op haar schoot in slaap gevallen. Het is een druk kind en na al het spelen en ravotten is ze 's middags nogal moe.

Net als moeder Clazien ruim dertig jaar geleden, geniet Rietje van de geurende en bloeiende fruitbomen in de boomgaard. Ze zit maar wat te mijmeren en denkt terug aan de jaren die achter haar liggen. Er is veel gebeurd. Drie jaar geleden heeft vader Siem plaatsgemaakt voor zijn schoonzoon. Zelf was hij, door een pijnlijke en versleten heup, niet langer in staat het zware boerenwerk te verrichten. Voor zichzelf, Anna en Thijs liet hij op een stuk van de tuinderij een nieuw huis bouwen. Door het vertrek van Leen met zijn gezin kwam de oude tuinderswoning vrij. Teun de Laat had kennis gekregen aan de acht jaar jongere weduwe Dora Horsman. Met haar twee kinderen en Teun, die inmiddels officieel als zetbaas op de tuinderij was aangesteld, betrok zij de tuinderswoning. Samen kregen zij een zoontje, dat inmiddels tweeënhalf is.

In de nieuwe woning hebben Siem en Anna een aparte kamer ingericht voor Thijs. Behalve een ledikant is er een speelhoek voor Thijs. Daar bewaart hij al zijn spulletjes en hij troont af en toe het zoontje van Teun mee naar zijn kamer. Verstandelijk zijn ze elkanders gelijke, maar eigenlijk is het een lachwekkend gezicht de zware en sterke Thijs naast het iele figuurtje van de kleine Teuntje te zien.

Siem heeft naast zijn nieuwe woning een grote schuur laten bouwen en daarin houdt hij wat kleinvee. Een drachtig schaap van Zwickezicht komt soms 'logeren' in de schuur en baart daar dan twee of meer lammetjes. Thijs is gek op lammetjes en kleine Teuntje ook.

Maar Thijs doet meer dan spelen. Zijn baan bij de meelhandelaar heeft hij verruild voor werk op de tuin. Nog steeds raakt hij snel afgeleid, maar onder toezicht van Teun kan hij veel en nuttig werk verzetten. Hij spit met gemak grote lappen grond om en haalt karrenvrachten ruige mest op bij Leen en spit die onder, waardoor er een vruchtbare voedingsbodem ontstaat voor alle groenten en aardappelen.

Het was voor alle betrokkenen een gelukkige tijd, maar af en toe waren er ook droevige momenten. Vijf jaar geleden is oude Jaan Tamman, na een kortstondig ziekbed en na een dienstverband van ruim zestig jaar, op Zwickezicht overleden. In de laatste weken voor haar dood is ze liefdevol verzorgd door Anna, die toen nog boerin op de hoeve was.

'O, zit je hier nog,' zegt Leen als hij met kleine Henkie uit de polder komt. Antje wordt wakker en strekt haar mollige armpjes uit naar haar vader. Leen tilt haar op, knuffelt haar en zij slaat een armpje om zijn nek, maar het andere armpje strekt ze uit naar Rietje. 'Moesie ook!' roept ze en dan slaat ze het armpje om de nek van haar moeder.

Leen en Rietje kijken elkaar met een gelukkige glimlach aan en Leen fluistert dan: 'Ons leven had er heel anders uitgezien zonder de aantekeningen in het dagboek van de boerin, die je lieve moeder was.'